シリーズ あしたのために 3

無意識

うんこの名の隠喩

東條由紀彦
志村光太郎

明石書店

目次

第3章　母性と父性……47

プロローグ

人間は無意識によって支配されている。意識によって支配されているのではない。別の言い方をすれば、意識は無意識によって支配されている。意識のなかでの思考や行動も、実は無意識にしたがっているのである。

意識は無意識を知ることができない。一方的に無意識にしたがうだけである。確かに、夢などを通じて、検閲つきで、その一部を垣間見ることはできる。しかし、意識が無意識を動かすことはできない。

無意識については、これまで多くの学説が提出されてきた。しかし、ほとんどどれも肝心なものが抜け落ちている。それは何かというと、うんこである。

うんこは通常、汚いもの、触れてはならないものとして忌み嫌われている。聞くだけでも、おぞましいとされている。いわばタブーとさえなっている。ほとんど毎日、付き合っているのにである。

しかし、タブーのなかにこそ、真実がある。にもかかわらず、うんこについては、無意識との関連では、ほとんど研究の対象にはされてこなかった。それほどまでに、おぞましいものなのであろう。

その一方で、うんこは直接的にではないにせよ、神聖なものとして崇められてもいる。例えば、黄金は人間を魅了してやまない。古今東西を問わずにである。それは、黄金がうんこの象徴だからである。

無意識との関連で、うんこについての研究が皆無というわけではない。例えば、S・フロイト（一八五六年生誕、一九三九年没。オーストリアの精神分析学者、精神科医）は、うんこについて考察している。ただそれでも、ペニス（男根）ほどには重視していない。

ペニスは、フロイトの無意識の理論において決定的な重要性をもっている。フロイトが生きた二〇世紀初頭の、厳格な父性原理に縛られた禁欲的プロテスタンティズムと西欧小家族のなかにあっては、そうなるのも致し方ないことかもしれない。

しかし、無意識においては、ペニスと同じくらい、うんこは重要な役割を果たしている。うんこの役割を軽視していては、ましてや無視していては、無意識の全容を解明することはできない。にもかかわらず、無意識について語るから、人間への理解も、社会への理解も歪むのである。

無意識の解明なくしては、母性と父性の解明もありえない。フロイトは父性にとらわれすぎている。それは、ペニスにとらわれすぎているからでもある。人間は男女を問わず、父性とともに、母性を有している。無意識において、うんこは母性と密接にむすびついている。母性への理解は父性への理解をも助けるはずである。

社会には、父性原理とともに、母性原理が存在している。それは、父性原理が支配的な社会にあってもである。人間における母性を解明することなしには、社会における母性原理を解明することもおぼつかない。母性原理への理解は父性原理への理解をも助けるはずである。

フロイトはまた、エロスとタナトスについても言及している。しかし本来、エロスとタナトスは父性のみでは存在しえない。母性なくしては存在しえない。享楽を過度に抑制したり、あるいは追求したりするのも、死を過剰なまでに忌み嫌ったり、あるいは弄んだりするのも、エロスとタナトスへの理解、母性と父性への理解が足りないからでもあろう。

うんことペニスの本当の意味は、実はもはや知ることはできない。しかし、それぞれの痕跡は、神話、習俗などのなかに残っている。そのため本書では、それらを辿るといったアプローチも試みている。それにより、これまで人間がどれだけ、うんことペニスとともにあったか、そしてそれらが、母性と父性、エロスとタナトスといかに密接な関係にあったかということも分かるだろう。

「シリーズあしたのために」の第二作目である前共著書『互酬――惜しみなき贈与』〔二〇一五〕においては、人間の経済との関連で、共同体の変遷を辿りながら、それがどのようにして市民社会へと移行したのか、また、市民社会はどのように変化し、現在に至っているのか、そして、将来はどのような姿となるのかについて、それぞれにおける人間、組織の様相まで踏み込んで論じた。

もはや社会は、資本のヘゲモニーを維持できなくなってきている。それにより、綻びが生じてきている。その先にあるのは、互酬、惜しみなき贈与に基づいた、新しい市民社会ではないのか。また、そうであるべきではないのか。本書は、それを実現する上での、より内面に焦点をあてた考察でもある。

「シリーズあしたのために」に共通していることだが、本書においても、われわれの最初の共著書『ヘゲモニー・脱ヘゲモニー・友愛――市民社会の現代思想』〔二〇一一〕を下敷きに、原稿の執筆を断続的に進めてきた。以前、「神田デンケン」と称する勉強会において、参加者から、貴重な指摘、意見も多数いただいた。本書はそれらをもとにした、「シリーズあしたのために」の第三作目である。

無意識とは何か。父性と母性とは何か。エロスとタナトスとは何か。無意識におけるうんこの役割を解明することで、すべてが一直線につながっていく。

互酬、惜しみなき贈与を行うためにも、新しい市民社会を引き寄せるためにも、うんこを隠蔽していてはならない。

第1章　無意識と去勢

他者――
人間は他者の写しとしてしか生きていけない。
他者とは第一義的に母と父である。

1　鏡像段階

人間は無意識によって支配されている。ただし、無意識は出生と同時に存在しているのではない。では、いつどのようにして発生するのだろうか。

J・ラカン（一九〇一年生誕、一九八一年没。フランスの精神分析学者、精神科医）は、生後六ヵ月から一八ヵ月までの発達段階を「鏡像段階」と呼んでいる。鏡像段階以前の身体は、まとまりに欠けた、いわゆる「寸断された身体」である。ばらばらな器官の集合としての肉塊といってもよいだろう。それが鏡像段階になると、幼児は鏡に映った自らの姿を見て、身体的統一性を獲得すると同時に、自我を形成するようになる。

ただし、鏡像は外部に出現した像にすぎない。自分自身でなく、他者である。つまり、鏡像との同一化は他者を自我に導きいれることである。それは、人間が他者の写しとしてしか生きていけないことの出発点である。

鏡像段階での自我は、ラカンのいう去勢をまだ経ていない。他者、とりわけ母親との深刻な隔たりを知っていない。したがって、原自我とでもいうべきものである。同時に、象徴的なものとしての自己はまだ成立していない。イメージのなかで、ラカンのいう〈想像界〉のなかで、他者との区別をはかっているだけである〔東條・志村、二〇一一、一七二頁〕。

それは、フロイトのいう「ナルシシズム（自己愛）」の状態である。ギリシア神話において、ナルキッソスは水面に映る自らの像に恋し、同一化しようとする。この像は実は母である。母との同一化は、母の欲望の対象となり、母と交わること、つまり近親相姦（インセスト）を意味している〔東條・志村、二〇一一、一七五―六頁〕。

吉野裕子（一九一六年生誕、二〇〇八年没。日本の民俗学者）もいうように、鏡は母胎の象徴でもある〔吉野、一九九〇、一九九頁〕。自らのなかに人を映している鏡は、あたかも胎児を宿している母胎のようである。鏡像段階において、幼児は母と同一化しようとして、母胎の象徴である鏡に向かう。そこに映し出される像は、自分自身ではなく、他者であり、つまりは母である。この母と同一化しようとする原自我が去勢されなくてはならない。

去勢されることで、母との同一化の禁止が自我に刻みこまれる。原自我は自我へと成長を遂げる。それは、心的エネルギーの源泉、フロイトのいうエス（イド）が、その一部を自我として分化する、あるいは少なくとも、それを自我として表現するようになることでもある。いずれにしてもここに至って、ラカンのいう〈象徴界〉（≒象徴秩序）が成立する。幼児はシニフィアン（記号表現）を獲得し、言語を用いてコミュニケーションをはかるようになる。

〈象徴界〉は本源的に、ラカンのいう〈現実界〉に起源をもつ。しかし、シニフィアンの成立とともに、〈現実界〉は閉じられる。〈現実界〉で起きていることは、〈象徴界〉における現実とは異なる。〈現実界〉は、日常生活とはかけ離れた、享楽と死、エロスとタナトスの世界である。想像（空想）ではなく、現実に存在する世界である〔東條・志村、二〇一一〕。〈象徴界〉においては、誰もが共通の第三者、ラカンのいう「大文字の他者」である。大文字の他者は、構造化されたシニフィアンの集合にすぎず、特定の第三者ではない。前述のように、人間は他者の写しとしてしか生きられない。

無意識が発生するのはこの時である。ラカンによれば、「無意識は大文字の他者の語らいである」〔Lacan, 1966〕。大文字の他者が語りだすことで、無意識がもたらされるのである。

2　エディプス期の去勢

母との同一化を禁止するものは何か。フロイト、ラカンにしたがえば、父の命令ということになろう。ラカンはこれを、仏語で同じ発音である、否（仏 non）と名（仏 nom）をかけ合わせて、「父の名（の隠喩）」と呼んでいる。父の名は、個別の具体的な父の命令ではない。父性原理とそれに基づく社会的な法（正義、道徳、規範）である。

シニフィアンの集合は父の名にしたがって構造化される。つまり、大文字の他者は父の名に支配されることになる。

フロイトによれば、いわゆるエディプス期（男根期）にある幼児は、母と同一化をはかろうとし、父に対抗心を抱くという。この葛藤状態を、ギリシア神話に登場する、知らずして父ラーイオスを殺害し、母イオカステと結婚したエディプス（オイディプス）に因んで、「エディプス・コンプレックス」と呼んでいる。

エディプス・コンプレックスをもつことで、幼児は父から罰を受ける。あるいはまた、罰として去勢されるのではないかという不安に陥る。いわゆる「去勢コンプレックス」である。そして結局、母との同一化を断念し、父を受けいれるようになる。これが、フロイト、ラカンのいう去勢である。ペニス（男根）の切除をともなう必要はない。父の立派なペニスを確認することも、必須ではない。われわれの考えでは、父が母の欲望の対象である、つまりファルスである、またはファルスを所持していると知ることが、去勢となる。

したがって、父が母と交わる「原光景」を目撃することも、必須ではない。母が幼児よりも父の声を優先するといったことでも、十分な外傷体験となり、父がファルスである、またはファルスを所持していると確信する〔東條・志村、二〇一一、一八二―三頁〕。

父を受けいれ、同一視することにより、超自我が確立する。それが父の名と通底していることはいうまでもなかろう。いずれにしてもここに、原自我は自我へと成長を遂げることとなる。父の名は大文字の他者を支配することとなる。

父の名による去勢を通じて、それを象徴的意味とするシニフィアンが成立する。そして、そこから派生するシニフィアンの集合が構造化し、いくつかの「物語」となる。エディプスの神話はその代表であろう。物語は無意識のなかにたたみこまれている。

もっとも、エディプス期の幼児においては、多くの場合、ファルスは何らかの形でペニスと関連する。しかし、幼児のファルスは父の名による去勢を受ける。以後、幼児にとってペニスは、ひとつのシニフィアンとして、触れてはならない穢れたものという象徴的意味をもつようになる。

3　肛門期の去勢

エディプス期における父の名による去勢は、実は二次的なものである。それ以前の、フロイトのいう肛門期（肛門サディズム期）において、幼児は「うんこの名（の隠喩）」により最初の去勢を受けると、われわれは考えている。この去勢は母親と幼児との間で繰り広げられる。

フロイトのいう口唇期においては、幼児は母と一体化している。一時的に離れることもあるが、泣くなどして要求のサインを示すことで、授乳を受けたり、抱きかかえられたりと、母の胸におさまることができる。それは、母に呑みこまれることでもある。

鏡像段階になると、口唇期における母子の一体性は崩れる。ここでひとつのアンビバレンスが生じる。幼児は、鏡に映った自らの姿を見て喜ぶ。身体的統一性の獲得とそれによる母との分離を喜びと感じるのは、ナルシシズムによるものだろう。しかし母との分離は同時に、幼児にとって大変な不快である。また、（母に対する）他者として自己を獲得することは、著しい不安をもたらす。ナルシシズムは深層においては、前述のように、母との同一化を求めている。

不快、不安にさらされた幼児は、母との同一化を欲望する。母に呑みこまれたいと思うようになる。母を欲望の対象とし、同時に母の欲望の対象となることで、同一化しようとする。

母の欲望の対象であるということは、自己が母にとってのファルスである、または、母に与えるファルスを所持しているということである。ファルスは、（母の）欲望の対象であるという以上の規定性をもたないシニフィアンである。大文字の他者がまだ成立していないので、原シニフィアンとでもいうべきものである〔東條・志村、二〇一一、一七七頁〕。

幼児はファルスになろうとする。または、それを生産しようとする。ここでのファルスは、例えば、愛着のある人形、玩具などでもよいが、ただこの時期が肛門期にあたることから、多くの場合、うんこと関連する。

うんこは、幼児が生まれてはじめて生産するものである。自らに最もしたしい自己の分身である。幼児はそれをファルスとして、母に贈ろうとするが、拒絶されてしまう〔東條・志村、二〇一一、一七八頁〕。

これが、幼児がはじめて体験する去勢である。われわれは、ここでの母の拒絶をうんこの名と呼んでいる〔東條・志村、二〇一二〕。母との同一化を禁止するものは、父の名のみではない。実はその前に、うんこの名という、母自身による拒絶がある。

自我が芽生えるのも、〈象徴界〉が成立するのも、大文字の他者が語りだすのも、そして、無意識が発生するのも、その端緒は実はこの時に見られる。ただしここでは、大文字の他者は父の名に支配されていない。その原初においてはいったん、うんこの名に支配されるのである。

4　最初のシニフィアン

肛門期の去勢は、直接的にはペニスと関係がない。ファルスはペニスと関連するのみではない。前述のように、（母の）欲望の対象であるという以上の規定性をもたないシニフィアンである。肛門期においては多くの場合、うんこと関連する。

去勢とはファルスを断念する（させられる）ことである。ここでは、自らのうんこをファルスとして母に贈り、拒絶されることである。この母の拒絶がうんこの名である。ここでの去勢を通じて、幼児はファルスになりえない、それを生産することのできない、無価値な存在、空無な主体であると決定づけられる。ラカンのいう「S」としてしか表現しえないものとなる〔東條・志村、二〇一一、一七八頁〕。

母は通常、その拒絶において、うんこは汚い、だから触れてはいけないと、幼児を叱るだろう。それにより、ここでの去勢において、うんこは汚いもの、触れてはいけないものという象徴的意味を付与されることとなる。これが最初のシニフィアンとなる。もはや原シニフィアンではなく、シニフィアンとなるのである。これが、大文字の他者の成立、その最初の語らい、本来の意味での無意識の形成の端緒である〔東條・志村、二〇一一、一七八頁〕。ただし、その完成は父の名による去勢を待つ必要がある。

うんこの名による去勢は、シニフィアンの成立と引き替えに、〈現実界〉をいったん封印する。以後、シニフィアンは〈象徴界〉に綴じ込まれる。それにより、〈象徴界〉は定置される。去勢とはいわば、〈現実界〉への往来を不可能にすることである。

もはや、〈現実界〉を参照し、うんこの本当の意味を知ることはできない。うんこは汚いもの、触れてはいけないものという象徴的意味を消し去ることもできない。それは、うんこの名による去勢という、恐怖の外傷体験に根ざしているからである。

汚いもの、触れてはいけないものという象徴的意味をもつことにより、うんこは攻撃物ともなる。母による拒絶は、心温まる贈りものを攻撃物にさえかえてしまうのである。それは、拒絶されてまでも抱きつづける、母への愛情の裏返しでもある。

5　グレート・マザー

うんこの名による去勢を通じて、汚い、触れてはいけないという象徴的意味をもつシニフィアンが成立する。そして、そこから派生するシニフィアンの集合が構造化し、いくつかの物語となる。「グレート・マザー（太母）」という「元型」にまつわる物語は、その代表であろう。

C・G・ユング（一八七五年生誕、一九六一年没。スイスの精神分析学者、精神科医）によれば、元型はすべての人間が本能のようにしてもつ、ある普遍的なイメージ（を紡ぎ出す型）である。グレート・マザーは母の元型である。太母神、地母神などとして、信仰の対象となる。

グレート・マザーは、子供を産み、あたたかく包みこむだけではない。子供を呑みこむ恐ろしい存在でもある。これにまつわる物語が、世界の多くの神話にある。ドラゴン（≒龍、蛇）などの怪物に呑みこまれた英雄が、その腹を突き破り、不死の半神として再生するという物語である。二人の母（実母と継母など）をもっていたり、怪物を退治するだけであったり、その後、妻を手にいれるといったバリエーションもある。怪物は母の象徴であると、ユングはいう。では、英雄は何の象徴か。ファルスであると考えられる。

この物語は近親相姦への願望とその禁止をあらわしている。すなわち、怪物に呑みこまれるのは、近親相姦への願望である。その腹を突き破るのは、その願望の禁止である。そして、妻を手に入れるのは、ファルスの振り向けである。

ユングによれば、近親相姦への願望の基礎は、交合ではなく、子供にかえって再び両親の庇護をうける、母の胎内へはいってもう一度産んでもらうという独特な想念にある〔Jung, 1952, 訳、上、四三八頁〕。また、近親相姦の空想は、神話が昔からもっていた、補償し医す意味の本来の持ち主である元型を活性化する〔Jung, 1952, 訳、下、二五八頁〕。神話となることで、近親相姦への願望は、元型、ここではグレート・マザーを活性化し、その願望を補償し医すのである。怪物の退治は、ここで決定的な意味をもつ。

グレート・マザーにまつわるヒロインの物語も、世界に多くある。英雄の物語とかなりの共通性を有している。

例えば、『白雪姫』である。白雪姫は継母に殺されるが、王子の手により息を吹き返す。継母はその報いで命を落とす。英雄は二人の母をもつ場合があると先に述べたが、それはヒロインにおいても同様である。ここでは、実母と継母である。なお、継母はおらず、白雪姫を殺すのは実母であるとする伝承もある。いずれにしても、母の象徴である。白雪姫はファルスの象徴である。

魔法の鏡が登場するのも注目に値する。鏡が映す世界で一番美しい女性は、ナルシシズムとの関連でいえば、鏡に向かう継母自身か、あるいは、継母の母であってしかるべきである。にもかかわらず、そこに白雪姫が映しだされるのはなぜだろうか。鏡が母胎の象徴であることからすれば、そこに我が子が映しだされるのは、母が我が子を再び呑みこみたいという願望の投影ということにもなろう。継母は我が子である白雪姫を呑みこみたい、つまりは殺したいと願望している。それが鏡に投影されているのである。また、鏡に白雪姫が映しだされるのは、子供にかえって再び母の庇護をうけたい、母の胎内へはいってもう一度産んでもらいたい、つまり、ファルスとなって母と同一化したいという、白雪姫の願望の投影でもあるだろう。ここにも、鏡が母胎の象徴であることとの関連性がうかがえよう。

その願望通り、白雪姫は継母に呑みこまれる、つまり殺される。しかし、王子の手により息を吹き返す。白雪姫のファルスは王子へと振り向けられるのである。

日本の説話では、例えば、『落窪物語』である。落窪とは便器置き場を意味している。落窪の君は継母の北の方から憎まれ、落窪に住まわされていた。それを知った少将道頼は、落窪の君を救いだし、二人は結ばれる。そして、北の方は道頼から復讐を受ける。

落窪に住まわされているのは、母に呑みこまれていることを意味していよう。それは、母が我が子を再び呑みこみたいという願望の投影でもあろう。また、落窪に住まわされ、それに甘んじているのは、実はどこかで、落窪の君自身が、ファルスとなって母と同一化したいと願っていたからでもあろう。ファルスは、うんことの関連性が強い。落窪は、いうまでもなく、うんこをするところである。つまり、ファルスとなるのにうってつけのところである。

落窪に住まわされているのが、母に呑みこまれていることを意味しているのなら、継母の願望は、そして落窪の君の願望も、実はすでに叶っているのである。しかし、落窪の君は道頼によってそこから救いだされる。落窪の君のファルスは道頼へと振り向けられるのである。『古事記』のなかにも見られるように、古来、厠（便所）は聖婚の場でもあったという〔東、二〇〇三、一六二―四頁〕。同じように、『落窪物語』における落窪も、聖婚へと誘う場となっている。

幼児はうんこをファルスとして、母に贈ろうとする。うんこは心温まるかけがえのない贈りものなのである。うんこをする厠が聖婚の場でもあったというのは、このことにも起因していよう。厠は、ファルスとなるのにうってつけのところでもある。厠において、花嫁はファルスとなり、自らを花婿に贈るのである。フロイトも、うんこには贈りものとしての意味があると述べている〔Freud, 1917, 訳、三八八頁〕。

物語のなかで、北の方に唆された典薬の助が、落窪の君に襲いかかろうとしたまさにその夜、下痢によりうんこまみれとなり、未遂に終わるというシーンも興味深い。落窪の君はうんこに助けられてもいる。うんこは攻撃性をも宿している。

グレート・マザーにまつわる英雄およびヒロインの物語の根底には、うんこの名による去勢がある。『落窪物語』はそれにより接近している物語だといえるだろう。

多くの物語に共通して、ヒロインが英雄と大きく異なるのは、母の退治を自ら行っていない点である。母のもとを逃れるだけというバリエーションもある。英雄に比べて、攻撃性、積極性に欠けていることがうかがえよう。同じグレート・マザーにまつわる物語でも、部分的に性差があらわれているのである。

6　他者の欲望

肛門期において、幼児は欲望のままに〈想像界〉から出発し、〈現実界〉へ入りこむ。そして、うんこの名による去勢を受けて、〈象徴界〉へと戻ってくる。それにより、〈現実界〉はいったん閉じられる。

しかしエディプス期において、幼児はもう一度、自らの欲望にしたがって、〈想像界〉から〈現実界〉への冒険を試みる。そして今度は、父の名による去勢を受けて、〈象徴界〉へと戻ってくる。それにより、〈現実界〉はほぼ完全に閉じられる。

このような、肛門期からエディプス期にかけて二度にわたって、幼児が〈現実界〉へと入りこみ、去勢を受けて、戻ってくる一連の過程を、われわれは「異常な冒険」と呼んでいる〔東條・志村、二〇一二〕。

〈想像界〉〈現実界〉〈象徴界〉は本来、無意識のうちに生じるものであり、ボロメアンの環のように入れ子になっている。しかし、幼児はもう二度と、〈現実界〉へ赴くことはできない。以後、大文字の他者はうんこの名と父の名に支配されることになる。幼児は、大文字の他者の示す象徴的意味を操作できるだけとなる。〈現実界〉へ到達するための自由な想像もまた、基本的に抑圧される〔東條・志村、二〇一二〕。

ラカンによれば、「人間の欲望は大文字の他者の欲望である」〔Lacan, 1966〕。ということはつまり、人間の欲望はうんこの名と父の名に左右されているということである。

そこではたいてい、うんこの名と父の名が均衡を保っているわけではない。むしろ、少なくとも表面上は、どちらかに偏っている。それは、どちらの去勢がより衝撃的だったかにもよるだろう。その前提においては、家族関係、さらにはそれに影響を及ぼす、社会（共同体を含む）の制度、文化なども、大いに作用しているだろう。

うんこの名は、母から発せられる、母の声であることから、母性の源となる。こちらに偏ると、人間の欲望は母性的となる傾向にある。母性的な欲望をもつ人間が社会の大勢を占めるようになると、その社会では基本的に、母性原理が支配的となる。一方、父の名は、父から発せられる、父の声であることから、父性の源となる。こちらに偏ると、人間の欲望は父性的となる傾向にある。父性的な欲望をもつ人間が社会の大勢を占めるようになると、その社会では基本的に、父性原理が支配的となる。

もちろん、人間の欲望のなかには母性か父性かに、また、社会のなかには母性原理か父性原理かに分類できないものもあるだろう。そもそも母性と父性は、社会とそのなかにある家族によってつくられているという側面もある。

また、ユングがいうように、無意識においては、男性であってもアニマという女性像の元型が、女性であってもアニムスという男性像の元型が存在している。したがって、通常は、男女どちらにあっても、母性か父性かのどちらかに極端に偏ることはない。

母性が必ずしも女性によって発揮される必要もない。男性であってもある程度は代替しうる。父性が必ずしも男性によって発揮される必要もない。女性であってもある程度は代替しうる。このことは、幼児の去勢、養育などにおいても当てはまるだろう。実母でなく、他の女性、さらには男性であっても、また、実父でなく、他の男性、さらには女性であっても、ある程度は代替しうる。

それでも、現在に至るまで、母性か父性か、母性原理か父性原理かという分類がなされてきたのも事実である。そこには、社会の変遷とそのなかでの人間の無意識を知る手がかりがあるはずである。

第2章　無意識とファルス

うんこ――
うんこは自己の分身であり、母へのはじめての贈りものである。
それがために、穢れを纏いながらも、人々を魅了してやまない。

1　ファルス

ファルスはギリシア語で、そもそも「ふくらんだもの」を意味するという。それが、ペニス、特に勃起した状態のものを指すようになったというが、もっと象徴的な意味があると考えられる。

ラカンによれば、「ファルスは欲望の弁証法のうちで、快の享受に実体を与えるように定められている」〔Lacan, 1966, p.822〕。それは多くの場合、肛門期においてはうんこと、エディプス期においてはペニスと関連する。うんこそのもの、ペニスそのものではない。

前章で述べたように、ファルスは、（母の）欲望の対象であるという以上の規定性をもたないシニフィアンである。ラカンも、「ファルスは大文字の他者の欲望のシニフィアン」〔Lacan, 1966, p.694〕であるといっている。

幼児はファルスになろうとする。または、それを生産しようとする。しかし、肛門期においてはうんこの名によって、エディプス期においては父の名によって去勢される。それにより、〈現実界〉はほぼ完全に閉じられる。以後、大文字の他者はうんこの名と父の名に支配されることになる。〈現実界〉は享楽と死、エロスとタナトスの世界である。閉じられることで、〈想像界〉と〈象徴界〉はダイナミズムのない、貧弱なものとなる。

もはや、〈現実界〉を参照し、うんことペニスの本当の意味を知ることはできない。しかし、それぞれの痕跡は、神話、習俗などのなかに残っている。それを通じて、〈現実界〉におけるそれぞれの意味を想像することができる。

2　うんこの神

うんこは汚いもの、触れてはいけないものとして忌み嫌われているだけではない。直接的にではないにせよ、神聖なものとして崇められてもいる。またしばしば、笑いの題材などにもなっている。

ローマには、うんこの神がいた。ローマの汚物溝、下水道、便所などを守る、クロアキナという女神である。クロアキナは、クロアカマクシマ（最大の汚物溝）で発見された、美の女神アフロディテ（ヴィーナス）の像につけられた名のひとつだとする説もある。美は穢れのなかにあるということを象徴しているのかもしれない。アッシリア人はアフロディテの祭壇にうんこを捧げていたとの言い伝えもある〔Bourke, 1994, 訳、六〇―五頁〕。

うんこの神の存在は、うんこが穢れを纏いながらも、神聖視されていることをうかがわせる。女神へうんこを捧げるのは、肛門期において幼児が自らのうんこを母へ贈ろうとする行為の再現であろう。

日本にも、うんこの神がいる。女神イザナミの肛門からうんことして生まれた、ハニヤスビコという男神とハニヤスビメという女神である。そもそも、神がうんこをするというのは興味深い。それだけ、神聖な行為と見なされていたのだろう。また、うんことして子供が生まれるというのも注目に値する。幼児にとって、うんこは自己の分身であるということから、自らの子供のような存在でもありうる。フロイトも子供とうんこの同一性について指摘している〔Freud, 1917〕。

神がうんこをするのは、子供を産む時だけではない。スサノオは父神のイザナキから海原を治めるよう命じられるが、母神のイザナミのもとへ行きたいと、泣いてばかりいた。それに激怒したイザナキはスサノオを追放する。

追放されたスサノオは、姉のアマテラスに暇乞いをしようと高天原へ赴くが、邪心があるのではないかと警戒されてしまう。そこで自らの身の潔白を証明しようと、アマテラスと子供を産みあう賭けをすることになる。

アマテラスがスサノオの腰の剣を噛み、息を吹きだすと、そこから三神の女神が生まれた。スサノオがアマテラスの着けていた珠を噛み、息を吹きだすと、そこから五神の男神が生まれた。するとスサノオは、心が潔白なので、女神を得たのだから、この賭けは自分の勝ちだと、一方的に宣言する。そして、勝ちにまかせて乱暴狼藉をはたらくのだが、その行為のひとつとして、神聖な御殿でうんこをし、まき散らしている。

スサノオの乱暴狼藉に畏れをなしたアマテラスは、天《あま》の岩屋《いわや》の戸を開き、なかに籠ってしまう。世界は闇に包まれた。それを打開しようと、八百万の神々は協力し、アマテラスを外へ引きだす。そして、スサノオを罰し、追放する。

スサノオがなぜうんこをしたかについては、さまざまな解釈がなされている。最も多いのが、神聖を穢し、冒瀆するためであるとの説である。ここでは、うんこは攻撃物となっているということだろう。また、トリックスター（善と悪、賢と愚、破壊と創造など、矛盾した行為をなすいたずら者）であるスサノオが行ったいたずらだとする説もある。

これに対し、東ゆみこ（一九六八年生誕。日本の神話学者）は、国占めの失敗、すなわち高天原という空間の所有の失敗と関連していると述べている。スサノオは高天原を占有しようとしたが、神聖な御殿でうんこをしてしまった。それゆえ、国占めができなかったというのである〔東、二〇〇三、八二頁〕。

うんこをすることが何らかの失敗へと結びつく物語は、他の日本の神話、民話にも多く見られると、東は指摘している〔東、二〇〇三〕。例えば『花咲爺』では、犬が鳴くのに促され、正直爺さんがその場所を掘ってみると、たくさんの金貨が出てくる。それを知った隣の強欲爺さんと婆さんは、正直爺さんから借りてきた犬を無理やり鳴かせる。しかし、犬が鳴いて示した場所を掘ってみると、うんこが出てくるのである。

地域によるが、かつて泥棒は、盗みを済ませた後、その家でうんこをし、それを器や盥《たらい》で隠してから、立ち去っていた。うんこをするだけでは失敗するが、それを隠せば成功するというロジックなのだろう。後に、この迷信のなかから、器や盥で隠す風習は消え、むきだしのうんこを残していくのみとなった。夏目漱石（一八六七年生誕、一九一六年没。日本の作家）邸に入った泥棒も、しっかりとうんこを残し、しかも漱石宛ての大切な手紙で尻を拭いていったという〔東、二〇〇三〕。

ただし東によれば、うんこをすることが何らかの失敗へと結びつくというのは、その主体が男性の場合にかぎる。女性の場合は、うんこをすることが、神もしくは類似の存在との結婚といった成功へと結びつくのである〔東、二〇〇三、一二〇頁〕。

うんこは攻撃物ともなりうるが、本来、心温まるかけがえのない贈りものである。確かに、スサノオは高天原という空間を所有するには至らなかった。それを失敗ととらえることもできるだろう。しかしそもそも、高天原を占有しようとは考えていなかったはずである。神聖な御殿でうんこをしたのは、無意識であるにせよ、高天原をアマテラスに贈与しようという、すでにアマテラスが治めていたことからすれば、それを自分としても認めようという意思のあらわれでもあるのだろう。もっとも、スサノオは他にいくつかの悪事をはたらいてもいる。このことからすれば、うんこは攻撃物でもあったのだろう。ここではこのように、うんこのもつ両義性がともにあらわれていることからすれば、スサノオも両義的な存在、つまりトリックスターであるととらえることもできるだろう。

『花咲爺』で、隣の強欲爺さんと婆さんにうんこが出てきたのは、攻撃物としての意味があると考えられる。犬が隣の強欲爺さんと婆さんにうんこを贈ったのは、虐げられたことへの仕返しにほかならない。一方、犬が正直爺さんに贈った金貨は、実は心温まる贈りものとしてのうんこの象徴である。

泥棒が盗みに入った家でうんこをしたのも、うんこのもつ両義性がともにあらわれている。盗みはいわば、攻撃の一形態である。うんこは、その攻撃のとどめとしてなされる。このことからすれば、かつてうんこを器や盥で隠していたのは、その攻撃がばれないように、つまり失敗しないようにとの願いを込めていたのだと解釈することができるだろう。

泥棒は何かを奪う（頂戴する）が、うんこはそのお返しとしての心温まる贈りものであると考えることもできる。このことからすれば、かつてうんこを器や盥で隠していたのは、必ずしも失敗を避けるためだとはいえない。むしろ、うんこは野ざらしにしておけないほど、貴重な贈りものだったということだろう。

もちろん泥棒自身は、うんこが攻撃物あるいは心温まる贈りものになると認識していたわけではないだろう。盗みが成功するように、そうした風習にしたがっていたまでのことだろう。しかし、そうした風習が確立し、守られてきた根底においては、うんこのもつ両義性がともに作用していたにちがいない。

うんこのもつ両義性については、他にも多くの例がある。M・ルター（一四八三年生誕、一五四六年没。ドイツの宗教改革者）は戸外便所で啓示を受けている一方で、悪魔、カトリックなどを非難する際、うんことそれにまつわる言葉をしばしば用いている〔Brown, 1959〕。

うんこがもつ攻撃性は、例えば、相手を罵る際に使われる「くそったれ」「くそくらえ」などといった言葉からも、うかがい知ることができるだろう。ちなみに、英語では crap と shit、仏語では merde、独語では Scheiße が、うんこを意味するとともに、罵り言葉でもある。うんこは身近な攻撃物なのである。

では、女性の場合、うんこをすることで、神もしくは類似の存在との結婚といった成功へと結びつくのはなぜだろうか。ここでも、うんこがもつ贈りものとしての、さらにはファルスとしての性質が関連していると考えられる。結婚に際して、女性はファルスとなり、自らを男性に捧げるのである。うんこをするのは、その象徴としてであろう。

3　黄金信仰

黄金は人間を魅了してやまない。古今東西を問わずにである。それは、黄金がうんこの象徴だからである。フロイトも黄金とうんこの関連について指摘している〔Freud, 1908, 訳、一三七頁〕。アステカでは、金は神々のうんこ、太陽のうんこと呼ばれていた〔東、二〇〇三、二一八頁〕。

前章で述べたように、幼児にとってうんこは、生まれてはじめて生産するものであり、自らに最もしたしい自己の分身である。幼児はそれをファルスとして、母に贈ろうとするが、拒絶されてしまう。うんこの名による去勢である。以後、幼児は〈現実界〉を参照し、うんこの本当の意味を知ることができなくなる。しかし、うんこは黄金などに投影され、その意味の痕跡をわずかに残すこととなる。黄金はファルスの代替にはなりえないが、人間を魅了してやまない貴重なものとなる。

かつて世界の多くでは、金貨を使用していた。金を通貨価値の基準とする金本位制度を採用していた時期もあった。通貨ではないが、スポーツ大会などでは、金メダルが勝利者に授与される賞牌となっている。フロイトは金銭とうんこの関連についても指摘している〔Freud, 1908, 訳、一三七頁〕。それは、金銭がうんこの象徴である黄金またはその代替だからである。つまり、金銭もうんこの象徴なのである。

うんこが忌み嫌われているのは、その悪臭にもよる。しかし、その悪臭の源泉であるスカトールという化学物質は、希釈されると、芳香として感じられるようになる。香水にはごくわずか添加されている。うんこはそのにおいにおいても、人間を魅了してやまないのである。

かつてアメリカの先住民は、宗教的概念から、人間のものであれ、動物のものであれ、うんこを喫煙に使用していた。バッファローを神とする部族にあっては、バッファローのうんこを煙草や薬草にほんの少し混ぜていた〔Bourke, 1994, 訳、一一〇―一一頁〕。うんこは神への贈りものであり、また、神からの贈りものでもあるのだろう。

うんこは、人間のものであれ、動物のものであれ、ごく一般的に、媚薬、性欲促進剤として使用されていた。時には、媚薬の解毒剤、性欲抑制剤としても使用されていた〔Bourke, 1994, 訳、一一二頁〕。そうした効能があると信じられていたのは、認識されていたわけではなかろうが、うんこがファルスでもあり、それが性欲と結びついているということに起因しているのだろう。

精神異常とされる者のなかには、うんこを食す者がいる。もはや〈象徴界〉ではなく、〈現実界〉に住まう者である。そこでは、うんこはかけがえのない贈りものであり、ファルスである。彼らは欲望のままに、贈りもの、ファルスとしてのうんこに食らいつく。それにより、欲望の対象と一体化しようというのだろうか。

ところで、W・A・モーツァルト（一七五六年生誕、一七九一年没。オーストリアの音楽家）は、『俺の尻をなめろ』（日本語の「くそったれ」と同じような慣用表現でもある）というタイトルのカノンを作曲したり、手紙のなかでうんこを話題にしたりなど、うんこに対してかなりの愛着をもっていた。

お気に入りの従妹に宛てた手紙のなかにも、例えば次のような記述がある。「あなたはぼくの肖像画を欲しがっている。いいよ。いつか絶対送ってあげる。神にかけて言うけれど、君の鼻の上で雲古《うんこ》をしてあげる。そうしたらぼくの雲古は君の顎まで流れてゆくよ」〔Feixas, 1996, 訳、二〇九頁〕。

実はモーツァルトの母も、同様の嗜好があったといわれている。そのため、モーツァルトはうんこの名による去勢をあまり受けていなかったのではないだろうか。モーツァルトのうんこへの愛着は、それによるところが小さくないのかもしれない。また、音楽において天才的な能力を発揮しえたのも、それによるところがあるのかもしれない。〈現実界〉があまり閉じられておらず、そこから創造性が溢れだしていたのではないだろうか。

4　ペニス信仰

ペニスは穢れたものとされる一方で、直接的にではないにせよ、神聖なものとして崇められてもいる。またしばしば、笑いの題材などにもなっている。

ヒンドゥー教では、リンガ（ペニス）をかたどった像（それをリンガという場合もある）がシヴァ神の象徴として崇拝の対象となっている。リンガがヨーニ（ヴァギナ）を貫くかたちで表現されているものもある。多くのシヴァ寺院では、シヴァ像の代わりに、リンガ像が祀られている。

日本では縄文時代に、石棒というペニスの形をした石器が多く作られ、祭りなどで用いられていたと考えられている。また現在に至っても、いくつかの地域では土着信仰として、金精神（金勢神、金精様、金勢様など）というペニスの形をした御神体が崇拝の対象となっている。金精神を祀っている金精神社もある。金精神は、豊饒、子宝などに霊験があるとされている。

古くから諏訪大社で行われている式年造営御柱大祭（御柱祭）では、山から切り出された樅の大木が御柱となる。御柱が木落し坂から勢いよく下っていく荒々しい姿、そして、境内に建てられ立ち誇る姿は、まさにペニスである。そもそも日本では、一柱、二柱というように、神を数える単位として、柱という言葉が用いられている。柱がそびえ立つ姿は、まさにペニスである。

ギリシアにはかつて、上部にヘルメス神の頭像が乗り、中央部に起立したペニスが付いている、ヘルマイという柱が多く置かれていたという。アテネの僭王ヒッパルコスは、アテネと周辺の村々を結ぶ道路すべての途中に、ヘルマイを建てさせている。紀元前五〇〇年頃には、アテネ市民の大半が玄関にヘルマイを置いていたとの説もある〔Friedman, 2001, 訳、二五頁〕。

一人前の男になるための鍛錬の場であったギュムナシオンでは、男は全裸で運動を行っていた。もちろん、ペニスも露出していた。ギリシアの男はギュムナシオンの外でも全裸であったとの説もある。またギリシア各地には、裸体の青年の彫像であるクーロスが多数あったといわれている〔Friedman, 2001, 訳、二四―五頁〕。

女神アフロディテは、父ウラノスのペニスがクロノスによって切断され、海に落ち、その泡から成人した姿で生まれている。また、アフロディテとディオニュソスとの情事からは、常に勃起した巨大なペニスをもつ、プリアポスが生まれている。

ちなみに、一世紀に描かれた、ポンペイのヴェッティイ家にあるフレスコ画のなかで、プリアポスは自らのペニスと黄金入りの袋とを秤にかけて計っている。秤がつりあっていることから、一般的には、男性の生産性は黄金に値すると解釈されているそうである〔Bonnard, Schouman, 2000, 訳、一三一頁〕。

アテネでは毎年、ディオニュソス祭が七つ行われていた。どの祭りでも、木造のペニス像が登場していた。また、カリクセイノスが紀元前二七五年頃に見たアレクサンドリアのディオニュソス祭では、五五メートルほどもある黄金のペニス像が街路を練り歩いていたという〔Friedman, 2001, 訳、二七―八頁〕。

意外にも、ギリシア人は小さく細いペニスを好んだという。裸身像や壺絵などにあるペニスは、そのようなものが多い。一方、異邦人や奴隷のペニスは大きく示しているが、それは彼らに対する軽蔑の念からだという〔Friedman, 2001, 訳、三〇頁〕。

ローマでは、ペニスは強さのシンボルであった。大きなペニスはローマの力の化身であった。現存するポンペイの家の多くは、壁画やモザイクで飾られているが、そのうちずば抜けて多いのがペニスの絵だという〔Friedman, 2001, 訳、三九―四〇頁〕。

ユダヤ（ヘブライ）の初期の部族は、ペニスに手を置いて神に誓いを立てていたという。例えば、アブラハムは僕《しもべ》に、「お前の手をわたしの腿の下に入れて誓っておくれ。わたしは天地の神ヤハウェにかけてお前に誓わせる」〔『旧約聖書』「創世記」第二四章〕と述べている。『聖書』では通常、ペニスを指すのに腿という言葉が使われることから、ここでもアブラハムは僕に対し、ペニスに手を置かせて、神に誓わせていたと考えられる。ペニスはヤハウェを象徴していたのである〔Bonnard, Schouman, 2000, 訳、二四八頁〕。

ちなみに、現在でも法廷では、腿の下に手を入れて聖なる誓いを行うという考え方が、英語のtestify（証言する）という言葉に残っている。testifyはtesticles（睾丸）を語源とする言葉である〔Friedman, 2001, 訳、二三頁〕。

ところが、キリスト教では、人間の肉体は腐敗しているが、なかでもペニスほど腐敗した器官はないとされてしまう。こうした考え方は聖アウグスティヌス（三五四年生誕、四三〇年没。初期キリスト教西方教会最大の教父、神学者）によって確立された。アダムとエバは、禁断の木の実を食べたことで、二つの新しい感覚を経験した。ひとつは、裸でいることを恥じる気持ちであり、もうひとつは、コントロールできない性的興奮、つまり自然に生じる勃起である。アウグスティヌスにとっては、原罪の原因も結果もともに肉欲であり、症状も病気もともに勃起であった〔Friedman, 2001, 訳、五三―四頁〕。

ペニスに対する執着は悪魔にも投影されている。悪魔のペニスはつねに勃起状態であるという〔Bonnard, Schouman, 2000, 訳、二五四頁〕。魔女狩りでは、悪魔のペニスについてはどの異端審問官も執着をもっており、魔女の告白の花形であった。ある女によれば、悪魔は巨大なペニスをいつも露出し、とても自慢していた。そして、人間の男一〇〇〇人分以上の精液を射精していたという〔Friedman, 2001, 訳、三一―四頁〕。

キリスト教にあって唯一、原罪とは無縁の神聖なペニスがある。イエス・キリストのペニスである。一四世紀から一六世紀には、イエスのペニスに捧げられた芸術作品が大量に制作され、教会に掲げられた。たいていの作品では、幼子イエスのペニスが、本人、聖母マリア、あるいは祖母の聖アンナによって誇示されている〔Friedman, 2001, 訳、七〇頁〕。

キリスト教はイエス以外のペニスを嫌悪していた。しかしその一方で、「睾丸のつぶれた者、陰茎を切断されている者は主の会衆に加わることはできない」〔『旧約聖書』「申命記」第二三章〕とあるように、かつては、カトリックの司祭にあっても、ペニスが使える状態であることを示す必要があった。それは教皇においても例外ではなかったという〔Friedman, 2001, 訳、二一頁〕。

ペニスに対する信仰は、カトリック教徒の間でも残っていた。例えば、フランスでは一九世紀初めになっても、プリアポス神が信仰されていた。サントという町では、「ペニスの祭」が復活祭直前の日曜日に行われていたという〔Bonnard, Schouman, 2000, 訳、三三頁〕。

以上のように、ペニスもうんこと同様に、穢れたものとされながらも、直接的ではないにせよ、神聖なものとして崇められてもいる。それは、うんこもペニスもファルスであり、またそれがために、去勢を受けていることにある。黄金がうんこの象徴であることからすれば、フレスコ画のなかで、プリアポスのペニスと黄金入りの袋の重さがつりあっているのは、ペニスがうんこと同価値、同等物であることを示している。

さらにいえば、うんこはペニスでもあり、ペニスはうんこでもある。フロイトも、子供にとってうんこの塊（ある患者の表現ではうんこの柱）は最初のペニスであると述べている〔Freud, 1917, 訳、三八八頁〕。金精神、ディオニュソス祭での黄金のペニス像などは、ペニスであると同時に、うんこでもあるのだろう。御柱祭において御柱が勢いよく下っていく姿は、豪快な脱糞をも思い起こさせる。一柱、二柱と数えられる日本の神々についても、ペニスであるとともに、うんこでもあるといえるだろう。

5　蛇信仰

うんことペニスはともに、ファルスとなるものである。蛇はその象徴でもある。蛇は外形がペニスに似ていることから、男祖先神として信仰されている。同時に、脱皮をする生態が出産を連想させることから、女祖先神としても信仰されている〔吉野、一九九〇、八二頁〕。

しかし、その外形からしても、蛇はペニスだけでなく、うんこにも似ている。巻きぐそはとぐろを巻いた蛇をあらわしている。福の神たちの総称であり、食物神、農業神ともされている宇賀神は、人頭蛇身でとぐろを巻いた姿であらわされることが多い。その姿は巻きぐそをも意味している。蛇はうんこの神でもあるのである。うんこはペニスでもあり、ペニスはうんこでもあるということが、ここからもうかがえよう。

その一方で、蛇は忌み嫌われる存在でもある。それには去勢が関連していると考えられる。ペニスに似ているということでは父の名による去勢が、また、うんこに似ているということではうんこの名による去勢が、それぞれ対応していよう。

仏教経典『大荘厳経論』にこんな説話がある。農村を歩いていた仏陀（釈迦）と弟子の阿難（アーナンダ）は、田の畔に蟻塚があるのを見て立ち止まる。仏陀が「阿難よ、毒蛇がいる」と言うと、阿難は「はい、お釈迦さま。悪蛇でございます」と答える。二人の会話を聞いていた百姓が、後から恐る恐る塚を覗くと、そこにはたくさんの黄金（金貨）があった。百姓は黄金をすべて持ち帰り、それで欲しいものを手あたり次第買い求めるようになる。

この説話からは、蛇が黄金の象徴であることがうかがえる。それは蛇がうんこの象徴であることによる。前述のように、黄金はうんこの象徴である。この説話で、毒蛇、悪蛇と呼ばれているのは、後に黄金が百姓に災いをもたらすからである。ここからもまた、うんこのもつ攻撃性が見てとれよう。

インドには、ナーガという蛇神がいる。ナーガは仏陀を守護していたとされ、仏教の守護神ともなっている。中国では仏典が伝わった際、龍または龍王と訳され、中国古来の龍信仰と融合していくこととなる。ちなみに、西洋におけるドラゴンも龍と訳され、共通性もあるが、基本的に異なる存在とされている。龍もドラゴンも、ともに蛇を意味するということでは一致している。

イザナキのナキ、イザナミのナミは、ナーガの変形語で、蛇を意味しているとする説もある〔谷川、一九九九、九四頁〕。また、オオモノヌシは、水神、雷神であるとともに、蛇神でもある。南方熊楠（一八六七年生誕、一九四一年没。日本の博物学者、民俗学者）によれば、蛇トーテムであるという〔南方、一九七一〕。『日本書紀』では、オオクニヌシの別名となっている。

縄文土器には、蛇の造形が多くみられる。そもそも、縄文という縄状の模様は蛇をあらわしている。縄文人にとって蛇は、信仰の対象であったのである。蛇の造形あるいは文様が刻まれた土器は、古代のメソポタミア、地中海世界にも多くみられる〔安田、一九九六〕。

ギリシアではデルフォイに、三匹の黄金の蛇が絡み合いながら聖杯を捧げている彫刻があった。アテネのパルテノン神殿にも、三匹の人面蛇身が絡み合う彫像がある。ディオニュソス祭は蛇祭でもあったという〔安田、一九九六〕。

ユダヤ教、キリスト教においては、蛇は基本的に邪悪な存在である。アダムとエバがヤハウェにより禁じられていた木の実を食べ、エデンの園から追放されたのは、エバが蛇に唆されたことによる〔『旧約聖書』「創世記」第三章〕。

またヤハウェは、イスラエルの民がエジプトを脱出する途上で、苦しみに耐えかね不平をもらした際、燃える蛇を民に送りつけている。燃える蛇は民に咬みつき、多くの命を奪った。おののいた民が赦しを乞うと、ヤハウェはモーセに、青銅の蛇を作り、旗ざおの上につけるように告げた。モーセがそれにしたがうと、燃える蛇に咬まれた者でも、青銅の蛇を仰ぎ見ると、命を永らえた〔『旧約聖書』「民数記」第二一章〕。蛇は罪を罰するものとしてだけでなく、罪を赦すものとしても、ヤハウェから遣わされている。

イエスはこの話を念頭に置いて、「モーセが荒れ野で蛇を上げたように、人の子もまた上げられなければならない」〔『新約聖書』「ヨハネ福音書」第三章〕と述べている。イエスは青銅の蛇を同一視し、十字架に掲げられたのである。ちなみに、グノーシス派のなかのオフィス派は、グノーシスつまり知識をアダムとエバにもたらした蛇がイエスであったとしている。

ユングは、蛇は呑みこむ母をあらわしているという〔Jung, 1952, 訳、下、二七六頁〕。英雄を呑みこむドラゴンは、蛇を意味しており、母の象徴である。英雄はその腹を突き破り、不死の半神として再生する。

母の象徴である蛇は、ファルスの象徴でもあるのだから、母もファルスの象徴ということになろう。母は欲望されるだけの存在ではない。自らも欲望している。英雄も（ヒロインも）ファルスの象徴であり、自ら欲望している。母に欲望され、呑みこまれることを欲望している。

ユングによれば、ドラゴン、つまり蛇は、負の母の像として、近親相姦に対する抵抗ないし恐れをあらわしているという。また、蛇が巻きついている木は、近親相姦への恐れによって守られている母の象徴であるという〔Jung, 1952, 訳、上、四九六頁〕。母は子供を呑みこもうとしながらも、それに対し恐れをも抱くアンビバレントな存在である。かつて自らも去勢を受けたことも作用しているのだろう。

近親相姦の欲望は、うんこの名による去勢と父の名による去勢を通じて禁止される。それは、ユングがとりあげる物語では、ドラゴンなどの怪物が退治されることによって、ユダヤ教、キリスト教では、エバを唆した蛇が罪を負わされることによって〔『旧約聖書』「創世記」第三章〕、象徴されている。ところが、イエスは青銅の蛇を同一視する。それは蛇を赦すということか。つまりは、母との同一化を赦すということか。聖母子像はその象徴なのかもしれない。しかしイエスは、十字架にかけられ殺されてしまう。それは去勢をも意味しているのか。

英雄によるドラゴン退治に相当する物語は、日本にも存在する。スサノオは高天原から追放された後、出雲国で蛇の怪物ヤマタノオロチを仕留めている。そして、斬られた尾からあらわれたむつ羽の太刀をアマテラスに献上している。むつ羽の太刀はファルスの象徴だろう。アマテラスはそれを貰い受けているのである。ちなみに、むつ羽の太刀はその後、草薙剣《くさなぎのつるぎ》と名をかえ、三種の神器のひとつとなっている。

この物語は、蛇信仰の弾圧をも意味していよう。ただし、それで蛇信仰が潰えたわけではない。オオクニヌシはスサノオの子孫であるが、前述のように、蛇神、蛇トーテムでもあるオオモノヌシだともいわれている。初代天皇である神武天皇は、トヨタマヒメが蛇体となって産んだウガヤフキアエズを父にもつ。ヤマタノオロチの尾からあらわれたむつ羽の太刀は、三種の神器のひとつである草薙剣となり、歴代天皇の皇位のしるしとして受け継がれている。

蛇はうんことペニスの象徴であり、ファルスの象徴でもある。能に「道成寺」という演目があるが、そこからも、蛇のファルスとしての側面をうかがい知ることができよう。

昔、紀伊の真砂《まなご》に住む荘司《しょうじ》という者の娘が、毎年訪れてくる山伏に想いを寄せていた。ある年、その想いを打ち明けると、山伏は逃げ出し、道成寺の釣り鐘の下に身を隠してしまう。娘は追いかけ、大蛇となって鐘に巻きつく。すると、鐘は煮えたぎり、山伏もろとも溶けてしまう。

それから長い年月が経ったある日、道成寺では、再興した鐘の供養を行っていた。するとそこに、白拍子の女がやって来て、供養の舞を舞いはじめる。あまりの舞の激しさに、鐘は落ち、女はそのなかに閉じ込められてしまう。僧が祈祷すると、鐘のなかから大蛇があらわれる。大蛇はその炎でわが身を焼き、日高川へと飛び込み消えていく。

女は情念のあまり、蛇へと変身した。それはつまり、ファルスとなったことを意味している。そして、山伏だけでなく、自らをも焼き殺さずにはおかなかった。ファルスはそこまで激烈な側面を有しているのである。

ちなみに、亀もうんことペニスの象徴であり、ファルスの象徴でもある。亀の頭は外形がペニスに似ている。ペニスの先端部分を陰茎亀頭あるいは単に亀頭と呼ぶほどである。亀の頭は外形がうんこにも似ている。甲羅から亀の頭が出てくる姿は、ペニスの勃起を思い起こさせるだけでなく、脱糞をも連想させる。

浦島太郎の物語はさまざまな形で継承されているが、どれもファルスとの関連性が見てとれる。『御伽草子』では、親孝行で慈悲深い若者である浦島は、釣った亀を海へ逃がす。翌日、また漁に出るため浜辺まで行くと、一人の美しい女性が船に乗って近づいて来る。そして浦島に、船が難破したので里まで送ってほしいと嘆願する。浦島はそれを聞きいれ、女性を送り届ける。するとそこは竜宮城であり、女性は助けた亀であったと知る。

一方、『風土記』では、浦島（島子）は亀を釣った後、船の上で眠ってしまう。亀はその間に美しい女性へと姿を変える。目覚めた浦島は驚き、女性にどこから来たのかと尋ねる。女性は自分は風雲に乗ってやって来た、天上の仙人の家の者だと答える。浦島は女性が神女であると知る。つづけて女性は「相談《かたらひ》の愛《うつくしみ》を垂《たま》へ」（可愛がってください）と浦島に誘いをかける。浦島は誘いを受けいれる。すると女性は蓬山《ほうさん》へ行こうと言って、浦島を眠らす。蓬山（蓬莱山《ほうらいさん》）とは、不老不死の仙人が住む東方海上の島であり、竜宮城とは異なる。

蓬山に到着した浦島は、女性の名が亀比売《かめひめ》であると知る。そして亀比売の両親たちから、歌あり踊りありの盛大な饗応を受ける。仙界の音楽は清らかに澄み透り、神々の舞う姿は妖艶である。その様子は人間界に比すべきものがない程であった。宴が終わった黄昏時、浦島は亀比売と二人きりになり、「夫婦之《みとの》理《まぐはひ》」（性行為）をなす。『続浦島子伝記』では、二人の性行為の情景がこと細かくエロティックに描写されている。

亀に変身する、亀比売の名をもつ女性はまさにファルスである。亀比売に誘われるまま蓬山へ赴く浦島もファルスと化している。それは宴に興じ、亀比売との性交に耽る様からも明らかだろう。また、蓬山は〈現実界〉を意味していよう。日常生活からかけ離れた、享楽と死、エロスとタナトスの世界である。享楽を与えながら、帰結として死を賜う世界である。

その証拠に、浦島は蓬山を離れるに際し、亀比売から決して開けてはならないという玉匣《たまくしげ》を授かる。郷里に帰った浦島は、蓬山へ赴いてから三〇〇年以上が経過していたと知る。そして亀比売との約束を忘れ、玉匣を開けてしまう。すると瞬く間に、浦島の若い肉体は風雲にさらわれるように天空へ飛び去って行く。〈現実界〉に住まう亀比売は、浦島に享楽を与えながら、帰結として死を賜ったのである。

6　穢れ

肛門期において、幼児はうんこをファルスとして、母に贈ろうとするが、拒絶されてしまう。うんこの名による去勢は母との同一化を禁止する。そして、近親相姦とうんこは穢れとなる。

またエディプス期において、幼児は再度、ファルスを所持して、またはファルスとなって、母との同一化をはかろうとするが、父の命令により妨げられてしまう。ここでのファルスは、この時期がエディプス期にあたることから、多くの場合、何らかの形でペニスと関連する。父の名による去勢は母との同一化を再度禁止する。そして、近親相姦はより穢れたものとなり、また新たに、ペニスも穢れとなる。

死と出産が穢れとなっているのも、去勢と関連性があると考えられる。母との同一化は母に呑みこまれることでもある。母に呑みこまれることは、生まれでることとは逆の現象であり、死をも意味している。

吉野によれば、古代の日本では、死は誕生とそっくり逆の現象としてとらえられていた。逆の現象とは、母胎を通って生まれてきた人間は母胎に戻り、胎児となってあの世に帰るということである。生も死も他界に新しく生まれでることであり、本質的には同じである。死がひどくおそれられたのは、その方向の違いが大きな原因であるという〔吉野、一九九〇、三一―四頁〕。

今日でも、死者に対して衣服を逆さにかけたり、着物の合わせを普通と逆にするなど、逆が強調されている〔波平、二〇〇九、四七頁〕。死は誕生と逆の現象なのである。

しかしなぜ死は、そして出産も、穢れとなるのだろうか。波平恵美子（一九四二年生誕。日本の文化人類学者）は、M・ダグラス（一九二一年生誕、二〇〇七年没。イギリスの社会人類学者、比較宗教学者）などの説を援用し、人でないものから人へ変化する誕生も、人から人でないものへ変化する死もともに、ある段階から次の段階への移行中の、不安定で、どっちつかずで、したがって危険な状態であり、それは不浄な状態ともみなされるという〔波平、二〇〇九、一〇九頁〕。

移行中の危険な状態が穢れともみなされることについては異論はないが、より根源的な要因があると考えられる。去勢である。去勢は母に同一化すること、いいかえれば、呑みこまれることを禁止し、穢れとなす。呑みこまれることは死をも意味していることから、派生的にではあるが、去勢は死をも否定し、穢れとなすこととなる。

出産についてはどうだろうか。出産は脱糞と似たところがある。フロイトも、子供はうんこであり、腸管を通って身体から排出され生まれてくると考えられているという。また独語で子供 Kind とうんこ Kot が同一のものであることは、「子供をさずかる」という表現からも明らかであるとしている〔Freud, 1917, 訳、三八八頁〕。

幼児はうんこをファルスとして、母に贈ろうとするが、拒絶されてしまう。うんこの名による去勢は、うんこを母との同一化とともに否定し、穢れとなす。そして、派生的にではあるが、脱糞と同一視される出産をも否定し、穢れとなすこととなる。

もちろん、死と出産が穢れとなっているのには、他にもさまざまな要因があるだろう。しかし、抑圧され、意識化されることはないにしても、去勢を無視することはできない。それどころか、去勢こそが根源的な要因のひとつとなっていると考えられる。

ダグラスによれば、「穢れとはもともと精神の識別作用によって創られたものであり、秩序創出の副産物なのである」〔Douglas, 1966, 訳、三五九—六〇頁〕。つまり、秩序創出に際して、その中心になれなかったもの、無秩序であり、秩序を脅かしつづけているものが穢れとされているのである。

去勢はうんこの名と父の名に基づき、秩序をつくりだすと同時に、近親相姦、うんこ、ペニス、そして、死、出産を秩序に反するものとして否定し、穢れとなす。他のほとんどすべての穢れは、ここに何がしかの起源をもつ。去勢は、穢れを生みだす最初の一撃である。

第3章　母性と父性

地母神――
地母神は、大地の豊饒性、多産性とむすびついている。
それを魔女に変えたのは、父性原理の宗教である。

1　古代の古層

人間の欲望はうんこの名と父の名に左右されているが、たいていは、どちらかに偏っている。うんこの名に偏ると、母性的となり、父の名に偏ると、父性的となる傾向にある。それが社会レベルになると、基本的に母性原理か父性原理かの違いとなってあらわれる。母性原理が支配的な社会では、母系制、母権制が、父性原理が支配的な社会では、父系制、父権制が布かれることとなる。

古代のなかでもその初期にあたる「古層」においては、母系制が世界各地に広く存在していた。母系制は、①親族が母系によってたどられること、および、②財産が母から娘に相続されることをその主な内容としている。

その一方で、これらのことに加えて、③家族ひいては国家において女性の支配がなされていることを含む母権制は、J・J・バハオーフェン（一八一五年生誕、一八八七年没。スイスの法学者、古代学者）の説に反して〔Bachofen, 1861〕、慣行としては存在していなかったというのが近年の通説である。もっとも、バハオーフェンが対象としているのは古代の古層であるため、史料的あるいは人類学的な根拠がきわめて乏しい〔東條・志村、二〇一一、三二四頁〕。

母権制は、家族を超えて、氏族、部族、民族、国家という範囲で考える必要がある。ただし、古代の古層における、民族、国家は、部族連合の発展した形態といって特に問題はない〔東條・志村、二〇一一、三二四―六頁〕。

氏族においては、日常的な意思決定は男性の酋長が、戦争指揮は男性の戦争指揮者が行っていた。女性の酋長、女性の戦闘指揮者は、存在していたとしても例外的である。ただし通常、シャーマンは女性であったことからして、決定的局面での意思決定が女性によってなされていたことは排除できない〔東條・志村、二〇一一、三二六頁〕。

母権制を考えるにあたり、ここでまず問題となるのが、女性シャーマンあるいはその女性取次者によるカリスマ的支配である。諸部族共同の祭祀場（神殿）の存在はその前提のひとつである。次に問題となるのが、女性祭司による宗教的支配である。ちなみに、祭司はシャーマンあるいはその取次者ではなく、そのためカリスマ性を有しない〔東條・志村、二〇一一、三二六頁〕。

古代の古層において、以上の二点が成立していたとは認めがたい。ただし、宗教上の転轍点においては、地母神（太母神を含む）をめぐる神話のなかに、その痕跡がしばしばうかがえる〔東條・志村、二〇一一、三二六―九頁〕。

地母神信仰は一般的ではなかったが、世界各地の神話のなかで、地母神は男性ないし中性的な超越神（あるいはデーモン）と闘争を繰り広げている。それは同時に、男性祭司と女性祭司との闘争でもある。

そしてたいがいは、地母神が敗れ去っている。それにより、以後、母権制は完全にその姿を消すこととなったのである〔東條・志村、二〇一一、三二九頁〕。

2　地母神の闘争

地母神は、大地の豊饒性、多産性とむすびついた女神であり、母性原理に根ざしている。ギリシア神話においては、ガイア、デーメーテールが地母神の代表であろう。ガイアは、男神と交わることなく独力で、天の神ウーラノス、海の神ポントス、暗黒の神エレボス、愛の神エロースなど、多くの神を産んでいる。ギリシア神話に登場する神の多くはガイアの血筋である。

デーメーテールは豊穣の女神である。弟にあたるゼウスとの間にペルセポネーという娘をもうけている。ペルセポネーは冥界の王ハーデースに奪い去られ、その妃となる。デーメーテールはペルセポネーを略奪されたことへの怒りと悲しみから、大地に実りをもたらすのをやめてしまう。結局、ペルセポネーが一年の三分の二をデーメーテールのもとで、残りの三分の一を冥界で暮らすことで決着をみる。そして、ペルセポネーとともに暮らせる期間には大地に実りをもたらすこととなる。

ギリシア神話のなかで地母神の闘争が見られるのは、例えば、髪の毛が蛇の恐ろしい怪物メドゥーサにまつわる物語においてである。メドゥーサは、ガイアの娘ケトから生まれた、かつては美しい乙女であった。女神アテナはそれを耳にし、メドゥーサと美しさを競うが、敗れてしまう。そして、その悔しさから、メドゥーサを恐ろしい怪物に変えてしまう。また後に、英雄ペルセウスがメドゥーサを退治する際も、それを支援している。

メドゥーサは髪の毛が蛇であることからして、地母神ということになろう。蛇は母の象徴でもあり、大地の豊饒性とも強く結びついているからである。また、英雄によって退治されることからも、メドゥーサはグレート・マザー的な存在であることがうかがえる。一方、アテナは地母神ではない。男神ゼウスの頭部から直接誕生した、母をもたない知恵と戦闘の女神である。つまり、女であることを否定する女である。そうした存在だからこそ、地母神を退けうる。

ギリシア神話のなかでは、オレステスとその母クリュタイムネストラにまつわる物語も、地母神の闘争としてとらえることもできよう〔東條・志村、二〇一一、三二九―三三〇頁〕。

ギリシア軍総大将アガメムノンは、トロイア戦争に出征するに際して、娘イーピゲネイアを女神への生贄として捧げた。妻クリュタイムネストラはこれを恨み、同じくアガメムノンに恨みを抱くアイギストスと深い仲になる。そして、凱旋してきたアガメムノンを二人で殺害する。

息子オレステスは、姉エレクトラとともに二人に敵討ちをするが、それにより、母親殺しの罪を背負うことになる。そして、母の怨念と復讐の女神たちの呪いを受け、狂人と化してしまう。

放浪の末、オレステスは女神アテナの神殿で裁判を受けることになる。裁判は、裁判長アテナのもとで、オレステスを弁護するアポロンと、その罪を告発する復讐の女神エリニュスたちとの間で争われ、それにアテネ市民一二名が陪審員として参加する。陪審員の判決は有罪と無罪が同数となるが、最終判断を委ねられたアテナは無罪の判決を下す。

オレステスによるクリュタイムネストラの殺害は、彼が自ら母との同一化を拒絶したことを意味していよう。また裁判により、母の殺害という罪悪が父の敵討ちであるとの理由で正当化されたことは、父性原理の支配が確立したことを意味していよう。女であることを否定する女である、アテナによる無罪の判決ということも、注目に値する。

セム人をはじめ、後にフェニキア人、ヘブライ人からも信仰されていたバールは、嵐と雨の神であるだけでなく、豊饒と多産の神でもあることから、男神でありながら、地母神としての性格も有している。ヘブライ人はもともと、男神であるヤハウェを崇拝していたが、カナンの地に入ると、バールと習合させていった。しかしやがて、バールを放棄し、ヤハウェを唯一神とするユダヤ教を純化させていった。それによりヤハウェからは、バールにあった地母神的性格が取り除かれ、ユダヤ教は父性原理に基づいた宗教となる。

ヤハウェはキリスト教の神ともなる。イエスはヤハウェの子であるとともに、ヤハウェ自身でもある。ヨセフとマリアの交わりから生まれたのではない。キリスト教も父性原理に基づいた宗教である。

日本には数多くの地母神がいる。その起源のひとつと考えられるのが、山人の存在である。柳田国男（一八七五年生誕、一九六二年没。日本の民俗学者）の当初の考えによれば、山人は古代の（古層の）原住民であり、渡来民に追われ、山に遁れた民である。柳田が『山の人生』で紹介している山民（山地民）は、山人とは異なる〔柳田、一九七六〕。山人の存在はもはや、国つ神が天つ神に追われたという神話のなかでしか確認できない。

天つ神のなかにも、イザナミなど、地母神としての性格を有している神がいる。イザナミはイザナキとの間に多くの子をもうけたが、火の神カグツチを産んだ際、陰部に火傷を負い、それがもとで死んでしまう。

イザナキはその死を悲しみ、イザナミに会いに黄泉の国を訪れる。しかし、イザナミの腐乱した姿を見るや、血相を変えて逃げだしてしまう。イザナミは恥をかかされたと憤り、イザナキを追いかけるが、捕えることができずに終わる。そして、イザナキとイザナミは離縁することとなる。

この物語は、地母神の敗北とそれによる母性原理の衰退を意味していよう。しかし、それとともに父性原理の支配が確立したととらえるのは早計だろう。その確立は、オオクニヌシからアマテラスへの国譲りを待たねばなるまい。アマテラスは女神である（とされている）が、地母神ではない。イザナキの左目から直接生まれている。アテナと同様、母をもたない、父のみの子である。女であることを否定する女である。

3　トーテム信仰

フロイトは近親相姦の禁止に関して、個体発生レベルで援用したエディプスの物語をもとに、系統発生レベルの物語を展開している。そして、個体発生は系統発生を繰り返すとしている。

太古にはまず、原父がすべての女を独占している状態があった。排除された息子たち（すべて原父の子なのだから、兄弟でもある）は、女たち（それは第一義的に自分たちの母である）を手に入れるために、共謀して原父を殺してしまう。しかしその結果、女のとり分をめぐって、兄弟間の無制限な殺害の連鎖が発生した。兄弟たちは再び共謀し、かつて殺した原父を自分たちの内にとりこみ、その指図に従うようにした。原父は女をめぐる争いでの殺し合いと、次いで各々の母との交わりを禁じ、それを破る者を去勢することとなる〔Freud, 1912-3〕。

フロイトはこの系統発生の物語（大きな物語）の帰結を、トーテミズムとそれにともなう諸々のタブー（禁忌）という形で確認している〔Freud, 1912-3〕。ある集団と特別な関係をもつ特定の動物（あるいは稀に、植物、自然物など）をトーテムというが、トーテミズムはそれをもとにした信仰形態、制度的関係のことである。

フロイトによれば、トーテム動物こそかつて殺した原父のなり替わりである。また、諸々のタブーは原父が命じた禁止であり、それに従わない者には去勢が待っているという〔Freud, 1912-3〕。

しかし現実のトーテミズムを見ると、こう解釈するにはあまりに距離がある。トーテミズムの成立以前の、原父による女の独占も、原父の殺害による乱婚も、したがってそれらを回避するための兄弟間の共謀と処罰も、氏族において見ることはほとんどできない。トーテミズムが祖先崇拝であることは一般的であるが、原父との関係は認められない〔東條・志村、二〇一一、三三六頁〕。

トーテミズムにとって大切なのはむしろ、名前とそれとの関連でのタブーである。トーテムと氏族の名前とが同一であるのは、世界各地で広く見られる。なぜそのトーテムがその氏族の名前となっているのかについては、もはや太古のことで神話さえ残っていない場合も多い。しかし、そのトーテムはその氏族の分身ともなっている。そのトーテムが傷つくとき、その氏族も傷つく〔東條・志村、二〇一一、三三六―七頁〕。

したがって、トーテムはタブーと不可分である。そして、そのタブーの体系が氏族を成り立たしめている。それは、物語の筋立てはともかく、フロイトのいう系統発生の物語と結びついているとも解釈できるだろう〔東條・志村、二〇一一、三三七頁〕。

フロイトのいう系統発生の物語は、一見するに、あまり成功しているとはいえない。それは二〇世紀初頭の、厳格な父性原理に縛られた禁欲的プロテスタンティズムの伝統と西欧小家族のミクロコスモスにこだわりすぎていたためでもあろう。

4　家産制と封建制

神話、宗教などと一体をなす父性原理は、M・ウェーバー（一八六四年生誕、一九二〇年没。ドイツの社会学者）のいう伝統的支配に組み込まれていく。それが家父長制である。家父長制は伝統的支配における本源的で最も純粋な型である。

K・マルクス（一八一八年生誕、一八八三年没。ドイツ出身、イギリスを中心に活動した哲学者、経済学者、政治活動家）は、アジア的、古代的、封建的、近代ブルジョア的生産様式とつづく、経済社会構成の発展段階論とは別に、原始共同体、農業共同体、新しい共同体とつづく、共同体の歴史的変転に着目した独自の歴史理論を構想していたとみられる〔東條、二〇〇五、二七―三二頁、五〇―五二頁〕。伝統的支配、家父長制が出現するのは、歴史的には農業共同体においてである。

農業共同体においては、個人的所有がなされている。個人的所有は、個人が共同休の成員であることに媒介されて成立する。耕作と収穫の果実は個人のものとして領有（所有とほぼ同義である）される。ここでの個人とは、賤民も含めて数十人を擁する家父長的世帯共同体をいう〔東條・志村、二〇一五、二一―二二頁〕。

家父長制は家権力の分散化、ステロ化（簡単に言うと、単に永く続いているという理由で、そういう状態に至っていること）により、家産制に転化する。家産制にも様々な類型があるが、そのなかのひとつに封建制がある。西欧においては封建制が、日本においては典型的な家産制が成立するが、それにはそれぞれ、風土も多大な影響を及ぼしている。

天水依存・有畜粗放農業を営み、共同体相互が森林で隔てられた西欧古ゲルマンの社会においては、上位の権力的民族共同体は、主として戦争および移動に対する定期的集会として、後期農業共同体から新しい共同体への過渡期に、ようやくゆるやかな形成を見た。「戦士の共同体」は、ウェーバーのいう家父長制の分立方向のひとつであるが、支配の正当化の根拠は、本源的契約に対する誠実関係におかれた〔東條・志村、二〇一五、二三一四頁〕。

王が単に戦士の共同体におけるリーダーとして選任されているだけの状態では、支配はまだ恒常的に成立していない。象徴的には、王の支配は、ヘル（簡単に言うと、主人、その典型が王）の食卓へ従士が招かれることにはじまる。確かにそれは、扶養であり、家産制への展開ではある。しかし従士は、はじめから独立した人格として食卓へ招かれるのであり、これに基づく支配の根拠は、食卓に対する返礼の義務として与えられる。ウェーバーはそれを本源的契約として扱い、従士の態度を、本来の家産制における恭順（独 Pietät）ではなく、誠実（独 Treue）の心情に基づくとする。規範は内面化されて価値となる。レーエン（封土）関係により結ばれる双務的な封建制はこの展開としてあり、そこでは、オイコス（巨大な家）的家計、扶養の原則は、極限的に制限される。それが西欧の社会関係の原基となったのである。

一方、古代日本の農業共同体は、風土的に見れば、狭小な耕地、小規模ではあるが高度に精密な水制御、等を特徴としていた。各農業共同体は、外敵の脅威はないが、水をめぐって互いに緊張関係にあった。そのため、農業共同体の前期において、各共同体のリーダー層（ベノタミ、ヌヒと区別されたウジビト層）からなるゆるやかな連合として、上位の権力的民族共同体（国家）が成立した。律令国家においては、各出自の農業共同体から遊離しつつあるウジビト層が、貴族化し、集住することとなった。班田収授の制度は、衰退しつつある農業共同体の定期的割替を再編する、最終的試みであったと考えられる〔東條・志村、二〇一五、二五―七頁〕。

班田収授の停止とともに、農業共同体は後期の段階へと移ることとなった。中世の「名」経営は、理想的には、「棟梁」を中心に、「家の子」、それに準じて分家の取立（家産分与）を行う「郎等」、その責任を負わない「下人」からなる、数十人を擁する家父長的世帯共同体であった。個人的所有の成立は、家の子、郎等を問わず、分家行為を通じた分立によっていた。したがって人格的結合関係は、本源的扶養とそれに対する恭順関係に律せられることになる。規範は外に立てられて権威となる。それが日本社会の家産制的性格の源となったのである。

5　母性原理の残存

父性原理が支配的ななかにあっても、母性原理は何らかの形で生きつづけている。ギリシア神話では、前述のように、アテナはメドゥーサを髪の毛が蛇の怪物に変え、その退治の支援までしている。メドゥーサは地母神的性格が強いことから、この物語は母性原理の否定を意味していると考えられる。

ただし、次の物語からもうかがえるように、アテナは母性原理をまったく否定しているわけではないと考えられる。鍛冶神ヘーパイストスは嫌がるアテナを追いかけ、交わろうとした際、彼女が抵抗し身をよじったため、彼の精液が大地にこぼれてしまった。それにより、大地の女神ガイアが身ごもり、上半身が人間で下半身が蛇であるエリクトニオスを産むこととなる。エリクトニオスはアテナに育てられ、成人し、アテネの王となる。民衆から崇拝され、死後は蛇になったという。

エリクトニオスは男であるが、地母神から生まれており、また、下半身が蛇であり、死後は蛇となったということからして、父性だけでなく、母性も多分に内包する存在だと考えられる。母性原理を完全に否定しているのなら、アテナは彼を育て、アテネの王にまでするようなことはしなかっただろう。

キリスト教は父性原理に基づいた宗教であるが、母性的な要素も内包している。マリア信仰は母性原理に根ざしている。マリア像は地中海沿岸の地母神と習合し、誕生したという。ただし、地中海沿岸の地母神から恐怖とエロスを抜き取った、慈愛と清純の母性像である。聖母マリアの非原罪（処女懐胎）の教えはそのために必要であったと、上山安敏（一九二五年生誕。日本の法学者）は述べている〔上山、一九九八、一五頁〕。

日本でも父性原理が支配的ななかにあっても、母性原理が少なからず残存している。地母神も数多く存在している。前章で述べたように、蛇信仰は形をかえながらも、脈々と受け継がれている。

他にも例えば、神社にある注連縄は、二匹の蛇が交わる姿だという〔吉野、一九九九〕。蛇は母の象徴でもある。通説ではないが、神社は宮とも呼ばれるように、女性の子宮をあらわしているという。参道は産道である。鳥居は女性の外陰部、あるいは女性が股を広げている姿であるという。三種の神器のひとつである八咫鏡《やたのかがみ》は母胎を意味している。鏡は母胎の象徴でもある。ちなみに、三種の神器のひとつである八尺瓊勾玉《やさかにのまがたま》は胎児を意味している。勾玉は胎児の象徴である。菊の御紋は肛門を意味している。肛門はうんこの象徴である。いくつかの地域では土着信仰として、ヴァギナ（女陰）の形をした御神体が崇拝の対象となっている。

そもそも日本では、神を数える単位として、柱という言葉が用いられており、また、その柱がペニスのみでなく、うんこをあらわしていることからすれば、どの神であっても、父性原理のみでなく、母性原理をも宿しているといえるだろう。

6 救済宗教としての仏教

日本で独自の発展を遂げた仏教も、母性的な要素を多分に内包している。観音信仰もそのひとつだろう。観音菩薩（観世音菩薩）は救いを求める衆生（人々）の音声を観じ、ただちに救済へ向かうとされている。本来は男性であったようだが、その広大無辺の慈悲から、また、救済する相手の姿に応じて、千変万化の相となることから、女性とされることも少なくない。日本にある多くの観音像は、慈悲深い女性的な表情を浮かべている。俗にヴァギナを観音様と呼ぶこともある。

地蔵信仰のなかにも、母性的な要素を見てとることができよう。地蔵菩薩は、仏陀の入滅後、弥勒菩薩が如来としてあらわれるまでの無仏の期間、六道に苦しむ衆生を、その大慈悲により教化、救済するとされている。子供の守り仏としても信仰されている。なお、地蔵菩薩の地蔵は梵語（サンスクリット語）でクシティ・ガルバといい、大地を母胎とするものという意味である。ここからも、地蔵菩薩の地母神的性格がうかがえよう。

阿弥陀信仰においても、その救済思想のなかに、母性的な要素を見てとることができよう。阿弥陀如来（無量光仏、無量寿仏）は極楽浄土（西方浄土）にいて、すべての衆生を救済するとされている。浄土宗、浄土真宗の本尊である。浄土宗、浄土真宗は、専修念仏による極楽浄土への往生を説いている。他力本願を旨とする救済宗教である。

親鸞（一一七三年生誕、一二六二年没。日本の僧、浄土真宗の開祖）は、悪人こそが阿弥陀如来の救済の主対象であるという、いわゆる悪人正機を説いている。ただし、あえて悪をなすことは自力である。自身を悪人となすことは、霊的世界においてのことである。仏の立場からは、慈悲の対象でしかないことを悟ることである。悟ることの易行である。だが、悪人であることを悟ることは、自力であろうか〔東條・志村、二〇一一、三〇六頁〕。

一念発起、本願成就の一念が生じるのは、自力によってではない。仏の慈悲がそれを生ぜしめる。一念を起こすのは、仏性、仏の力である。それは霊的世界において生じたものである。悟性的な知ではない。そこには、仏の慈悲で一念が生ぜしめられたことへの感謝しかない。

親鸞によれば、心にまかせてなせることはない。例えば、一〇〇〇人を殺すか否かは、業縁によって決まる。善悪の判断や、意思によってではない。善をなすか悪をなすかは業縁による。ならば、念仏の一念が生じるか否かも、それによろう。

念仏の一念が発起した時点で、仏となっている。慈悲の心をもち、それを行う力が備わっている。善を行って仏になるのではない。まず念仏で自身が仏となる。念仏三昧の世界において、他人を助ける慈悲をもつ。その仏の慈悲をもって、まず自分と縁ある者を救う。それが徹底他力である。

しかし、一念が生ずるのは、例えば、極悪人と自覚するのは、業縁が切られたことの証しである。念仏は業縁を切る。それが解脱である。仏となった者は悪を行えない。罪は業縁による。個人の意思によらない。

親鸞の信仰の画期的なところはたぶん、『歎異抄』のなかの次のやりとりであろう。唯円(一二二二年生誕、一二八九年没。親鸞の直弟子、『歎異抄』の著者とされている)は親鸞にこう問いかける。「念仏もうしあげていますが、それで浄土に往けるはずなのに、こころが沸き立つような喜びを感じることがありません。また、急いで浄土に往きたいという思いがでてこないのですが、これはどういうことなのでしょうか」。親鸞の答えは明確なものである。「〔中略〕煩悩のせいなのだ」。しかし、彼には続いて語る言葉がある。「それがために、仏陀もむかしからそれを知っていて、わたしたちのことを、煩悩具足の凡夫と呼んだのである。〔中略〕煩悩にとらわれた自分に気づくにつけても、そういう人を哀れんでの悲願と知って、ますます頼もしく、往生できることは間違いないと思いなさい。かえって、念仏するとき、踊るような喜びもあり、急いで浄土に往きたい思いもあるときには、煩悩がないのではないか、もしもそうなら、自分は阿弥陀仏の悲願に沿うものではないのではないか、と怪しまなければなりませんよ」(『歎異抄』第九条、現代語訳)(八木、二〇〇二、一八七—九頁)。

7　救済宗教としてのキリスト教

キリスト教は救済宗教である。そこに、母性的な要素を見てとることもできるだろう。イエスは次のような言葉を発している。「自分の敵を愛し、迫害する者のために祈りなさい」。「天の父は、悪い人にも良い人にも太陽を上らせ、正しい人にも正しくない人にも雨を降らせてくださる」。「あなたがたは、天の父が完全なように、完全でありなさい」〔『新約聖書』「マタイによる福音書」第五章〕。しかし、イエスはそれが不可能であることを知っている。

イエスは一方で、戒律を弱体化させる。物理的に背反することを問題にしない。「徴税人や娼婦たちの方が、あなたたちより先に神の国に入るだろう」〔『新約聖書』「マタイによる福音書」第二一章〕とも述べている。しかし他方で、戒律を強化させる。心に思うことで、すでに行っているという。「だれでも情欲をいだいて女を見る者は、すでに心の中で姦淫を犯したのです」〔『新約聖書』「マタイによる福音書」第五章〕とも述べている。

それでは、万人が罪人となる。しかし、罪人であること自体は、神の国に入る障害にはならない。神は罪を赦す。そして、神の愛を信じる者を救済する。イエスは、「心の貧しい者は幸いです。天の御国はその人のものだからです」〔『新約聖書』「マタイによる福音書」第五章〕と語っている。

ただ、自己が、そして万人が罪人であることは自覚されねばならない。姦淫の場で捕えられたひとりの女に対し、石打ちを迫る人々に向かって、イエスは、「あなたがたのうちで罪のない者が、最初に彼女に石を投げなさい」〔『新約聖書』「ヨハネによる福音書」第八章〕との言葉を発している。

罪を自覚することも、たやすくはない。それは自分を捨て、十字架を背負って、イエスに従うことである。イエスは自らを含む万人の罪を背負って、十字架にかかったのだろう。そして、罪を背負う者にこそある神の救済、復活、昇天を信じたのだろう〔東條・志村、二〇一一、三〇六頁〕。

キリスト教において親鸞のいう一念に相当するのが、自己が罪人であり、かつ、神の愛によって赦されているとの自覚である。また、念仏三昧に相当するのが、他者を赦すことである。神の前において他者を赦すことができる。自己が赦すのではない。神の名において、その愛によって、赦されていることを確信しうる、ということである。

しかし、それは世俗においてではない。世俗においては、あい変わらず、律法を守ることのできない罪人である。親鸞のいう煩悩具足の凡夫である。煩悩具足の凡夫が念仏を唱えるのと同様に、律法を守ることがまったくできないままで、神の前においては赦されている、その自己を念じるのである。

8　魔女狩り

キリスト教は救済宗教であり、母性的な要素を内包しているが、基本的には父性原理の一神教である。そのなかにあって、異教の神、地母神は、人々の心の深層に残存し、崇拝の対象でありつづけながらも、多くは、マリア信仰に吸収されたり、あるいは、悪魔、魔女へと仕立てられていくこととなる。

上山によれば、魔女は、非常に古い呪術信仰、亡霊信仰に基づいた集合概念である。メルヘン、口承伝説、神話、説話のなかにも多く登場する。当初は悪魔との関係はほとんどなく、自分独自の欲望、不満、復讐などから悪事を働いていた。時には、悪い継母であったり、また時には、約束を守る誠実なパートナーに変身することもあった〔上山、一九九八、六一―二頁〕。

『ヘンゼルとグレーテル』に登場する魔女は、子供をお菓子の家におびき寄せ、食べてしまおうとすることから、呑みこむ母の象徴であるといえよう。ここからも、地母神の痕跡がうかがえよう。

ところが、魔女は次第に、悪魔に仕え、交わる存在として、極端に反社会的性格をおしつけられていくこととなる。

一二世紀になると、位階制が肥大化し、財政難に陥るようになったカトリック教会は、免罪制、教会税などを設けた。しかしそれがもとで、多くの異端運動が発生するようになった。一四世紀から一七世紀には、教皇のアヴィニヨン幽閉、十字軍遠征の失敗、東ローマ帝国（ビザンツ帝国）の滅亡、宗教改革、宗教戦争、さらには、自然災害、ペスト大流行、これらに起因する収穫量の激減、経済危機などで、教会の権威は失墜していった。

そのなかにあって教会は、一五世紀になると、いわゆる魔女裁判を大規模に展開し、魔術、呪術など、異教の神、魔女の要素がうかがえる人々を大量に虐殺していった。そして一六、一七世紀には、魔女裁判は最高潮に達し、膨大な犠牲者を出した。

女性の聖性のみを崇拝するマリア信仰は、恐怖とエロスを有する地母神と対峙せずにはおかない。魔女狩りはマリア信仰によって一層の正当性を得ていた〔上山、一九九八、三八八頁〕。

上山によれば、社会不安のなかで心理的パニックに陥った大衆は、不安を打ち消す安全弁として集団のスケープゴートを必要としていた。そのスケープゴートとなったのが魔女である〔上山、一九九八、二一二頁〕。魔女狩りの増大は、資本主義が進行し、人間関係が軋みはじめたことにも起因しているという。また、政争において権力を握った者が他の集団を魔女の名のもとに処刑するといったことも少なからずあったという〔上山、一九九八、三八一―二頁〕。

しかしやがて、キリスト教内部から懐疑の声があがるようになり、また、国家権力が禁止に乗り出すと、魔女狩りは衰退していくこととなる。その背景には、科学革命、理性の誕生、医学、特に精神病理学の発達があったことも見逃すことはできない。

9　山姥

日本で、悪魔、魔女に相当するのが、妖怪、山姥《やまんば》であろう。小松和彦（一九四七年生誕。日本の文化人類学者、民俗学者）によれば、妖怪とは、①祭祀されない超自然的な存在である、②異類異形つまり他者的存在である、③外のカテゴリーに属しているがために恐怖をひき起こすものである、④人間に対して恨み、嫉みというようなものをもっていて、それが原因でさまざまな災厄を人間にもたらす、といった四つの特徴をもっているという〔小松、一九八五、二三六頁〕。

②から④の特徴は、妖怪だけでなく、実は神にもあてはまる。それに対し、①の特徴は妖怪にのみあてはまる。確かに、神も超自然的な存在であるが、祀られているという点で、祀られていない妖怪とは決定的に異なっている。同じ超自然的な存在でも、人間によって祀られていれば神となるのである。ただし、祀られたものとしての神と、祀られていないものとしての妖怪との関係は、流動的で可変的である〔小松、一九八五、二三三頁〕。

妖怪が神として祀られるようになるというのは、多神教ならではのことである。悪魔が神になるなど、一神教のキリスト教ではありえない。もっとも、元来は天使であった。それが堕落して、悪魔となったのである。

妖怪の起源のひとつと考えられるのが、山人の存在である。山人は、一方で神となったが、他方で妖怪となったのである。その違いは、祀られているか否かにある。天狗は山に棲む男性の妖怪であり、元来は男性の山人（山男）であったと考えられる。天狗の鼻は、まさにペニスをあらわしている。

山姥は山に棲む女性の妖怪であり、元来は女性の山人（山女）であったと考えられる。人を取って食うこともある恐ろしい存在である。しかし、人間に危害を及ぼすだけではない。福を授ける存在でもある。柳田はこの二面性に注目し、『山の人生』のなかで、「近世の山姥は一方には極端に怖ろしく、鬼女とも名づくべき暴威を振いながら、他の一方ではおりおり里に現れて祭を受けまた幸福を授け、数々の平和な思い出をその土地に留めている」と述べている〔柳田、一九七六、一九四頁〕。

山姥はまた、大地に豊饒をもたらし、多くの子を産む。大きな乳房からは無尽蔵に乳をだす。自らの身体からうんことして宝の布を大量に排泄したり、自らの死体が金銀財宝、妙薬、作物に変わりもする〔吉田、一九九二〕。美女とされることもある。喜多川歌麿（一七五三年頃生誕、一八〇六年没。日本の浮世絵師）は「山姥と金太郎」をテーマにした浮世絵を数多く残しているが、どれも山姥は妖艶な美女の姿で描かれている。母として子供の金太郎に授乳している作品もある。これらの作品の多くは、遊女などの美人画が禁止されていた時期に、その規制から逃れるために描かれたとされてもいるが、それでも他ならぬ山姥が女性の妖艶な美しさを託されたことに注目すべきであろう。

恐怖とエロス、豊饒と多産といった特徴からして、山姥は地母神と共通性がある。実際に、山姥を山神として祀っている地域も少なくない。例えば遠州奥山郷の久良機山では、三柱の男性の山神の母神として崇めている〔柳田、一九七六、一九四－五頁〕。

山姥はいわば、享楽と死、エロスとタナトスの世界である〈現実界〉に住まう存在ともいえるだろう。柄谷行人（一九四一年生誕。日本の哲学者）も次のように述べている。「〔中略〕山男や山姥は村人の想像物ではない。『現実』なのだ。たんに経験的に把握できないだけである。ラカンが『現実界』と呼ぶのは、そのような実在である。柳田が山人は実在すると言い張ったのは、そのためである」〔柄谷、二〇一六、五五頁〕。

能に「山姥」という演目がある。昔、都に、山姥の山廻りの曲舞を得意としていたことから、百魔山姥〔百万山姥〕との異名をもつ遊女がいた。ある時、遊女は従者とともに善光寺参りへの旅に出るが、その途中、越中と越後の境川に至ったところで、日が暮れてしまう。一同が困りはてていると、ひとりの不思議な女があらわれ、一夜の宿を貸そうと申し出る。女は一同を庵に案内すると、自分は本物の山姥であると打ち明ける。そして、夜更けてから謡ってくれたら、真の姿をあらわして舞おうと告げ、消え失せる。

夜更けになり、遊女らが舞曲を奏でていると、女は山姥へと姿を変えあらわれる。そして、山を廻ることでしか生きられない、人助けをしても賤しい人の目には映らず、鬼だと見られてしまう境遇を嘆き、舞う。「廻り廻りて輪廻を離れぬ、妄執の雲の、塵積もつて、山姥となれる、鬼女が有様、見るや見るやと、峰に翔り、谷に響きて、今までここに、あるよと見えしが、山また山に山廻り、山また山に山廻りして、行方も知らず、なりにけり」。この謡とともに、山姥は何処かへと消えていく。

山姥を醜く恐ろしい存在にしているのは、人間の妄執、賤しさなのかもしれない。〈現実界〉に対する恐怖でもあるのだろう。それでも日本では、魔女狩りのようなことはついぞ起こらなかった。それどころか、山姥は地母神とされてもいる。ここからも、キリスト教世界に比して、母性原理がより残存していることがうかがえよう。

第4章　エロスとタナトス

救済——

救済は母性によってなされる。

しかし母性は、死をもたらさずにはおかない。

1　空の世界

〈現実界〉は享楽と死、エロスとタナトスの世界であるが、去勢により閉じられ、もはや参照することはできない。しかしその痕跡は、宗教思想、哲学などのなかに残っている。

上座部仏教（小乗仏教）の代表的一派である説一切有部がいう一切とは、世間のものは皆という意味ではない。過去・現在・未来に渡ってという意味である。有も世間にあるものという意味ではない。仏教である以上、世間にある事物が有でない、つまり諸法無我であることはあまりに明白である〔東條・志村、二〇一一、二九七－八頁〕。

世間にある事物はすべて、生－住－異－滅の過程にあり、それ自身に固有の永続する実体をもたない。その意味で、諸物・諸事が空《くう》である、つまり、五蘊皆空、諸行無常であることを、説一切有部も認めている。

説一切有部はただ、諸物・諸事をそのものたらしめ、区別させている「かたち」をダルマ（法）とし、有限のダルマが恒常的に存在すると考える。例えば空は、常住（恒久的に存在するもの、あるいは刹那を超えて存在するもの）なるダルマの集合離散として、無常なる世界をつむぎだしている。でなければ、空というダルマも空と見なされねばならなくなり、無限循環（悪無限）に陥らざるをえなくなる。ダルマとは簡潔にいえば、その事物をそれたらしめている原理、法則、存在根拠、あるいはそれを基礎づける概念である。

ナーガールジュナ（一五〇年頃生誕、二五〇年頃没。インド大乗仏教中観派の祖。漢訳名は龍樹）もそのことを認める一方で、説一切有部を批判している。ちなみに、ナーガールジュナのナーガは、第2章で述べたように、インドの蛇神であり、中国では龍または龍王と訳されている。

蛇を名にもつナーガールジュナは、その著書『中論』のなかで、十二支縁起はいわば時系列的な迷いの生起ではなく、共時的な迷いの構造であることを示している。例えば、老死の生滅は、十二支縁起の他の要素すべてとの関わりにおいてのみ、リアルなものである。

およそあらゆるダルマは、他の無限のダルマに依っており、その消滅も他に依っている。故に、相関（相互依存・相互制限）において存在の相を呈するのみで、それに固有の主体・実体・本質をもたない。その生や滅は仮名である。無自性、空も、同じことわりである。輪廻に苦しむ者の宗教的直観としては、大変よく理解できる。しかし背理法的にせよ、これを「論証」しようという『中論』のくわだてには、やはり無理が残る〔東條・志村、二〇一一、二九九頁〕。

説一切有部は、スピノザ的微粒子の流動として世界をとらえるところからして、ポストモダン的であり、いわば流砂の哲学と呼ぶに相応しい。これに対し、ナーガールジュナおよび彼を祖とする中観派は、ダルマの存在をも相互依存的と説いている。それは主客の否定であり、因果律の超克でもある。まさしく流動の哲学そのものである〔東條・志村、二〇一一、三〇〇頁〕。

2　識の世界

中観派と並ぶ大乗仏教の代表的一派である唯識派（瑜伽行派、瑜伽行唯識派）は、諸物・諸事からなる外界の存在をすべて否定する。一切の対象は心のはたらきである識（認識）の表象であり、実在しない。

識は八種あると説いている。まず、眼識（視覚）、耳識（聴覚）、鼻識（嗅覚）、舌識（味覚）、身識（触覚）からなるのが前五識である。次にくるのが意識である。前五識と意識を合わせて六識という。六識の下には第七識であるマナ識があり、さらに深い領域には第八識であるアーラヤ識がある。マナ識はあらゆる自我の観念、つまり煩悩の汚染の根拠である。アーラヤ識は他の七識が生じるための根拠である。したがって、唯識とはアーラヤ識のみが実在であるということになる。

マナ識は、フロイトのいう無意識（の浅い部分）、ユングのいう無意識と通じるものがある。アーラヤ識は、フロイトのいう無意識（の深い部分）、ユングのいう集合的無意識と通じるものがある〔岡野、一九九八、三七六―九頁〕。

アーラヤ識がある表象としてあらわれるのには、何らかの原因がある。種子《しゅじ》である。ヴァスバンドゥ（三二〇年頃生誕、四〇〇年頃没。インド大乗仏教唯識派の祖。漢訳名は世親）はその著書『唯識二十論』のなかで、色形、触れうるものとしてあらわれる表象は、それ自身の種子が転変して特殊な状態に達した時に、そこから生じてくる、と述べている。種子はあらゆる結果を蓄積しながら変化しつづけ、すべての表象を生みだす原因となる。アーラヤ識は一切の種子を有するという意味で、一切種子識とも呼ばれる。

漱石の小説『こころ』は、「心」の作用についてアーラヤ識にまで踏み込んで描いた作品であるといえよう。例えば、「私」（先生）が親友Kの自殺を発見した際、「もう取り返しが付かないという黒い光が、私の未来を貫ぬいて、一瞬間に私の前に横わる全生涯を物凄く照らしました」〔夏目、一九八四、二四八頁〕とある。これはまさに、アーラヤ識（にある種子）がほんの一瞬間、かすかに意識に立ちあらわれた様相を示していよう。

「それでも私はついに私を忘れる事が出来ませんでした」〔夏目、一九八四、二四九頁〕とあるように、その場においてさえ、「私」はマナ識の虜でありつづけている。Kが「私」に宛てた手紙に、「私の予期したような事」は何も書いていなかったため、「まず助かったと思いました」〔夏目、一九八四、二四九頁〕とあるが、しかし、Kの自殺を発見した際、黒い光が照らしたごとく、「私」はその後の人生を歩むことになる。

「何時も私の心を握り締めに来るその不可思議な恐ろしい力は、私の活動をあらゆる方面で食い留めながら、死の道だけを自由に私のために開けて置くのです。動かずにいればともかくも、少しでも動く以上は、その道を歩いて進まなければ私には進みようがなくなったのです」〔夏目、一九八四、二六四頁〕。「その不可思議な恐ろしい力」とはアーラヤ識の作用だろう。いずれにせよ、すべては「私」の「心」のなせる業であるが、そこから逃れることはできない。そして、明治天皇の崩御、乃木希典大将の殉死の後を追うように、ついに「私」も自殺するに至るのである。

唯識派によれば、存在の見え方、あり方には、偏計所執性《へんげしょしゅうしょう》、依他起性《えたきしょう》、円成実性《えんじょうじつしょう》という三つの形態がある。いわゆる三自性、あるいは、それを否定的に表現した三無性である。簡潔に言えば、偏計所執性は主客のあるばらばらな世界、依他起性は因と縁により生じる世界、円成実性は主客のない真如の世界ということになろう。ラカンとの類似性でいうと、偏計所執性は〈想像界〉、依他起性は〈象徴界〉、円成実性は〈現実界〉とそれぞれ対応している〔東條・志村、二〇一一、一七〇頁〕。

ヴァスバンドゥは先に示した著書のなかで、人々が相互に影響を及ぼすことによって、相互に表象を限定すると述べている。ただし、それは世間的な立場においてのことである。

他人の心も外界に他ならず、究極的には実在しない。ヴァスバンドゥによれば、主観、客観の分岐を超越した仏陀にとっては、他人の心と自分の心という区別も真実に合っていない。唯識思想は独我論ではない。

3　真言の世界

密教は、秘密に説かれた深遠な教えを意味する。宇宙（世界）と自己との同一化を体験することにより仏になるとしている。その手段として、仏教の一派であるが、象徴主義的儀礼と観修法を重んじる。ヒンドゥー教からも多くの影響を受けている。

密教では、仏眼仏母《ぶつげんぶつも》、四波羅蜜菩薩などの女尊を重んじる。また、男女抱擁の仏像である歓喜仏を尊ぶ。女尊の重視は性の肯定につながるのだろう。

密教の代表的な経典のひとつである『理趣経』では、貪欲も、愛欲も、怒りの心も、すべてが清浄であると説かれている。ただし、無条件に認めるのではない。自己中心的な欲望を否定した上で、それがもつ本来的な生命力を生かして、より大きな、普遍的な欲望にまで育てあげることを狙っている〔松長、一九九一、二〇七―八頁〕。

インド後期密教では、官能性はさらに肯定されることとなる。糞尿を飲食し、女性の行者と交わるなどといった行為が、悟りに至るための修法として取りいれられる。

まさにエロスの世界である。〈現実界〉に住まう者にしかなしえないことだろう。そこでは、うんことペニスはともに、かけがえのない贈りものであり、ファルスである。彼らはそうすることで、欲望の対象と一体化しようというのだろうか。

日本の密教はインド後期密教の影響をほとんど受けていない。『理趣経』の取り扱いについても非常に慎重であった。空海（七七四年生誕、八三五年没。日本の僧、真言宗の開祖）は最澄（七六七年生誕、八二二年没。日本の僧、天台宗の開祖）からその借用を求められながらも、誤って解釈されるのを恐れて、応じなかったほどである。

曼荼羅は宇宙と自己との同一化を体験するための補助手段のひとつである。空海は胎蔵（界）曼荼羅と金剛界曼荼羅を取りいれ、両界曼荼羅として自らの宗派である真言宗の基本的な曼荼羅としている。

ちなみに、胎蔵曼荼羅の胎蔵は胎から生まれたものを意味する。また、胎は大日如来の慈悲の象徴である。母が胎児をいつくしみ育てるように、大日如来はその慈悲で衆生を救うというのである。

空海は大自然のなかで修業を積んでいる。そして、深山の高野山に修禅《しゅぜん》、つまり瞑想の道場を開いている。本来の密教の教えに立ち返って、大自然のなかに自己を融合させようとしていたのだろう。母なる大地ということでいえば、ここからも真言宗における母性的性格がうかがえよう。

真言宗の真言は大日如来が説いた真実の言葉を意味するが、それは人間の言語活動では表現できないとする。すなわち、真言は〈象徴界〉ではなく、〈現実界〉の「言葉」なのである。それを知るためには、母性が必要ということだろうか。

4　道の世界

道教では、また儒教でも、道《タオ》というものを基本としている。道は、天地が分かれる前より存在する。後に天地の分かれを生みだし、今も世界のあらゆる事物をつくりだしている、大きな流れである。ゾロアスター教由来の二元的な世界構成とは異なる。

道教も儒教も、肉体をひとつの流体、道のつくりだしたもののひとつと考える。肉体は、流体が形をなした時に生じ、死滅とともに、もとの流体に帰る。

道教も儒教も、魂《こん》と魄《はく》の存在を認める。肉体が生ずる時、魂と魄はそこに宿り、死滅とともに、魂は天に、魄は地に返る。魂と魄は何もしない。キリスト教的伝統のなかにおけるような「たましい」とはまったく似ていない。魂は、生きている人間が有しているような理性や悟性をまったくもっていない。考えることなどしない〔東條・志村、二〇一一、三〇一頁〕。

魂は人間が生あるものであることを示すしるし、魄は死すべきものであることを示すしるし程度のものである。せいぜい、魂は人間に生（エロス）のエネルギーを与え、魄は死（タナトス）のエネルギーを与えるようなもので、いささかも人間に似ておらず、人間に操作できるようなものではなく、それがあること以外、知ることすらできないようなものである。人間は、死んだということは魄が帰ったと同義であり、生まれたということは魂が宿ったと同義であることを、知っているだけである。

魂と魄がさわぐことがある。人間はそれを知る時がある。しかしその時それは、自我とは関わりなくさわいでいるのである。

魂と魄が帰る天と地は、われわれの住む世界とはまったく似たところがない。天と地がさわぐことがある。人間はそれについて知ることはできるが、何ごとなのかは分からない。直接関わりうるものではない。何かの儀礼でおさめる可能性を有するだけである。

世界は他に、鬼と神に満ちている。だいたい、神がよいことをし、鬼が悪いことをするが、本源的な区別は何もない。鬼神は歴史上の人物であったり、自然界の存在であったり、人造物であったりもする。

しかし、普通のアニミズム、汎神論、トーテミズムではない。鬼神は万物に（ひとつずつ）宿っているのではない。自然界の万物とは独立に、世界に満ちている。それがたまたま、さまざまなものに宿るのである。自然界の秩序を構成することはない。鬼神に秩序はない。世界は道の流体が形をなしたものであって、それが先行する。その秩序のなかに、鬼神がわけ入ってくる。天地は最も強力な鬼神というべきかも知れない〔東條・志村、二〇一一、三〇二頁〕。

天地や鬼神がどういう時に、どのようにさわぐのかについて、道教も儒教も体系的な認識、理論をもっていない。ただ特定の対応を用意しているだけである。またその対応において、道教と儒教に本質的な距離はない〔東條・志村、二〇一一、三〇二頁〕。

儒教は周代の儀礼を理想化している。なぜそれが理想であるかは、周代が儒教の確立した時代に比べて、はるかにましな状態であったという以上の根拠はない。

道教が儒教と区別されるのは、理想が周代よりはるか前の、無政府主義的、共産主義的村落とでもいうべきものにおかれていることだけである。道教も儀礼を否定しない。はるか昔の村落にもそれはあった。ただ、周代よりもはるかに簡素なものであっただけである。

無為自然は道士たちの処世訓でもあるが、理想時代の祭儀と政治がそのようなものであったということに本義がある。ことさらな儀礼や政治を行わないことが、天地や鬼神がさわぐのを防ぐ最良の方法だというのである。

孔子（前五五一年頃生誕、前四七九年没。中国の思想家。儒教の祖）の主たる関心は、祭儀（とその延長としての政治、王侯の徳目）にあり、周代に帰るという以上の内容にはとぼしい。老子（生没年不詳。中国の思想家。道教の祖）は、それをさらに無為自然と表現されるほどに太古にさかのぼるだけである。無為自然は何もしないことではない。晴耕雨読は大変重要なことであり、最低限の祭儀は必要である。ただ、ことさらに何かをやろうと頑張ることが、さわぐ天地や鬼神に対して逆効果であるといっているにすぎない。

このように、人為を避け、天地や鬼神を鎮め、道の流れにまかせることが、中国の伝統的な宗教のあり様となっている。儒教と道教は、そのちょっとした力点のおき方に違いがあるだけなのであって、それ故、相互に尊敬の念を何ら失っていない。

5　生成と流動の世界

G・ドゥルーズ（一九二五年生誕、一九九五年没。フランスの哲学者）＝F・ガタリ（一九三〇年生誕、一九九二年没。フランスの哲学者）は自ら垣間見た〈現実界〉について、さまざまな表現を駆使して語っている。〈現実界〉においては、主体は存在しない。それはつまり、秩序がないということである。主体によって構想されている〈象徴界〉のごときものは破砕されている。そこにあるのは、欲望する機械とその連接、器官なき身体、そして、それらが織りなす生成変化である〔Deleuze, Guattari, 1972〕。〈現実界〉は潜勢的なものである。秩序はないが、カオスそれ自体でもない。潜勢的なものは必ずしも到達不能、制御不能なものではない。〈象徴界〉における事物の前提をなしているものである。

生成変化は反復である。反復は差異（あるもの）の反復である。差異は反復される差異である。完全な同一性などありえず、再生することもできない。ただし、差異は質的なものでも、量的なものでもない。強度の差異である〔Deleuze, 1968, 訳、三三四頁〕。

強度の差異とは、（スピノザ的微粒子の）相対的位置の差異であり、度合いの差異である。受精卵の動物極から植物極に至る緯度（位置）の違いのことである。緯度の違いによって、受精卵はその各々の細胞が異なる器官になる。したがって、強度は卵の内包とも呼ばれる〔Deleuze, 1968, 訳、三七四頁〕。ここでいう受精卵とはつまり、唯識でいう種子に相当するだろう。

反復される差異は強度としてしかとらえることができない。主体―客体図式には当てはまらず、持続する同一の主体からは等しきものにしか見えない。反復はあらゆる等しきものの外にあって、差異を生成し、エロスとタナトスを備給する。

機械はまったく無目的に欲望し、連接することにより、何ものかを生産している。主体性、同一性をもっていない。欲望する機械では、エロス（そのエネルギーとしてのリビドー）がはたらいている。連接する機械に死はない。機械は連接することにより、壊れた機械を置き換えながら永続する。

器官なき身体は空《ろ》（穴、洞）である。タナトスから備給されている。器官がないので、欲望も生産もできない。したがって、（はじめから）死んでいる。しかし、身体であるので、主体性、同一性をもっている。「かたち」もあるが、ほとんど受精卵のようなものであり、強度としてしか測定できない。

器官なき身体には器官はないが、あるはずの箇所に穴があいている。その強度に応じて、欲望する機械はそこにはまりこみ、身体の器官となる。器官なき身体は、死すべきものとしての器官ある身体となる。

器官ある身体は、去勢を経た後、〈象徴界〉における主体となる。しかし、依然として欲望する機械でもあるのだから、〈現実界〉においてはそのはたらきをやめることはない。まったく無目的に欲望し、生産しつづけている。その一方で、器官なき身体のはたらきによって、死があらかじめ刻印されている。機械が壊れると、再び空な器官なき身体に帰す。壊れた機械は他の機械に置き換えられる。

ドゥルーズ＝ガタリのいう、欲望する機械とその連接、器官なき身体、そして、それらが織りなす生成変化は、仏教の説一切有部、中観派が説く空の世界、唯識派が説く円成実性の世界、さらには、道教、儒教が説く道の世界と通底するものがある。

したがって、ドゥルーズ＝ガタリの流動の哲学が、実は東洋哲学においては疾うの昔からありふれたものであって、新味に欠けるという批判はありうる。しかし、ドゥルーズ＝ガタリが主体─客体図式に徹底的にはめこまれた西洋哲学のなかからそこに到達したことの意味は、別に考えなければならない〔東條・志村、二〇一一、三一六頁〕。

6 欲望と幻想の世界

Ｓ・ジジェク（一九四九年生誕。スロベニアの哲学者）の「身体なき器官」というコピーは、たいした新鮮味がない。ファルスという概念が、身体のいかなる部分とも身体の外延とすら直接関係なく、また、去勢という概念が、身体のいかなる部分の破損も伴わない象徴的なものである、といっているにすぎない。つまり、身体という有体性をもたないといっているだけのことで、かなりレベルの低いダジャレである。このことについてはすでに、ラカンがまったく誤解の余地のない形で明言している〔東條・志村、二〇一一、二五二頁〕。

ジジェクが垣間見た〈現実界〉もトータルイメージではなく、徴候にすぎない。ただし、そこにおける享楽と死の様相の一例としてとりあげている、３Ｐ（三人で行う性行為）の描写については〔Žižek, 2004, 訳、三二一─三二二頁〕、よくとらえられているといえるだろう。

（後に）男（と呼ばれるもの）Ａが、（後に）女（と呼ばれるもの）の口にペニス（ファルスではない）を挿抽している。女は何もしていない。（後に）男（と呼ばれるもの）Ｂが女のヴァギナにペニスを挿抽している。女は何もしていない。この光景は、三つの欲望する機械が連接しているだけである〔東條・志村、二〇一一、二七〇─一頁〕。

ジジェクはここでまず、女の頭の状態を問題にする。頭は象徴的には「話す首《あたま》」である。〈現実界〉では、首が話したり、膣が話したりしている。それは、顔貌性の否定、人格性の否定、つまり、機械への還元である。3Pの最中、女の頭は話すことはない。転倒している。口はあいているだけである。（ドゥルーズ＝ガタリが問題にしている）顔はひっくり返ることによって、顔貌性を欠いている。どの器官からも見られていない。つまり、この頭は享楽機械でしかない。またここでは、膣も話すことはない。頭と同様、享楽機械でしかない〔Žižek, 2004, 訳、三二四―六頁〕。

男については、ペニスが享楽機械となっているのみである。頭は描写に出てくる必要がないので、「首」である。ジジェクはここで、男が脱主体化、道具化されて、部分対象に奉仕する「労働者」に還元されているという〔Žižek, 2004, 訳、三二六頁〕。

脱主体化というのは、いただけない表現である。主体から何かが奪われて、何かがつくられるのではなく、つくられるのは主体の方である。また、脱主体化、道具化がまずありきではない。享楽の行動は死の（欲動の）介在によって労働に転移（代償）される。それにより、男は労働者となるのである。3Pの光景は、享楽の原イメージであると同時に、死につながる（労働でもある）原イメージである。享楽とは、この光景の永遠のくりかえしであり、したがってとりあえず、死である〔東條・志村、二〇一一、二七一頁〕。

死（としての器管なき身体）は、殺すもの、機械を破壊するものである。享楽機械を壊しかて、快楽する（局所化された）身体をつくる。身体は欲望し、生産する、そして、享楽の果てに死に向かう。労働とはとりあえず、かかる身体の作動の様相である。かくして、労働する身体は投げ返される。欲望する機械が身体になるにあたっての労働の役割とは、このようなものであろう。

一方、〈象徴界〉においては、性は「話す者」を中心とした、したがってシニフィアンのセリー（系）として構造化された、象徴秩序として存在している。しかしもちろん、欲動は死の欲動も含めて、これに満足していない。

象徴秩序は、脱中心化、脱コード化されていない限り、周期的なカオスの導入による賦活、秩序からの逸脱を反復することによって、最小限の差異をはらみつつ、再構築＝再中心化される。そこにおいて垣間見える〈現実界〉の享楽は、象徴秩序が端的に禁止した倒錯として現れる。３Ｐが倒錯的であることに、異論はなかろう。

倒錯は、象徴秩序が中心化・コード化能力を失えば失うほど、幅をきかせてくる。逆にいえば、しっかりした象徴秩序の存する限り、人々が〈現実界〉を垣間見るのは、主として倒錯を通してである。その一例が３Ｐである〔東條・志村、二〇一一、二七二頁〕。

7　バナナフィッシュ

Ｊ・Ｄ・サリンジャー（一九一九年生誕、二〇一〇年没。アメリカの作家）の連作物語に登場するグラース家の長男シーモアは、ある晩、恋人のミュリエル、彼女の母フェダー夫人とともに夕食をとる。その席で、フェダー夫人から将来何になりたいかと尋ねられたシーモアは、「死んだ猫になりたい」と答える。その場では冗談だと解されたため、シーモアはいささか面食らってしまい、そのわけについて説明するのを忘れてしまう〔Salinger, 1963, 訳、八一―二頁〕。

しかしその他の事情もあって、後にフェダー夫人はシーモアを精神分裂症（統合失調症）ではないかと疑いはじめる。心配したミュリエルはいても立ってもいられない。そこでシーモアはミュリエルに、「ある禅宗の老師が、世の中で一番価値あるものは何かと尋ねられたときに、それは死んだ猫だと答えたが、それは死んだ猫には誰も値をつけることができないからだと言ったという話」をしてやる。ミュリエルはそれを聞いて安心するが、その意味は理解できない〔Salinger, 1963, 訳、八一―二頁〕。

本当に大切なもの、本当に価値のあるものには、値をつけることができない。いくらカネを積まれても、売り渡せないものがある。いくらカネを積んでも、手に入れられないものがある。老師はそれを象徴して、死んだ猫の話をしたのではないだろうか。そしてシーモアは、そうしたかけがえのない存在になりたいと考えていたのではないだろうか〔東條・志村、二〇一五、九九頁〕。

ところで、死んだ猫にはもうひとつの意味が込められているのではないだろうか。死は究極の他者であると同時に、自己への贈りものであり、友たりうる。老師は、そしてシーモアも、死を友としようとしていたのではないだろうか。それにより、エロスとタナトスの、生と死の永遠の和解、つまりニルヴァーナへ向かおうとしていたのではないだろうか。死んだ猫はその象徴として語られたのではないだろうか〔東條・志村、二〇一五、一〇〇頁〕。

シーモアはその後、ミュリエルと結婚し、フロリダへ旅行する。そして、一人でビーチに寝そべっていると、シビルという幼い少女に話しかけられる。シーモアはシビルにバナナフィッシュの話をしてやる。バナナフィッシュは、バナナがたくさんある穴のなかに泳いで入っていくが、そこでバナナを食べすぎて肥ってしまうので、穴から出られなくなり、そしてバナナ熱にかかって、死んでしまうという

〔Salinger, 1953, 訳、二六―三一頁〕。

話を終えると、シーモアはシビルと別れ、ホテルの部屋へ戻る。そして、トランクから拳銃を取り出し、ツイン・ベッドの片方に腰を下ろすと、もう一方のベッドに眠るミュリエルを見やり、自分のこめかみを撃ち抜く〔Salinger, 1953, 訳、三一―三二頁〕。

バナナフィッシュはファルスであるとともに、シーモア自身ではないだろうか。バナナもファルスではないだろうか。そして、バナナ穴は〈現実界〉であり、また母胎をも意味しているのではないだろうか。

バナナはその形からして、うんこ、ペニスを連想させる。しかしファルスは、うんこそのもの、ペニスそのものではない。（母の）欲望の対象であるという以上の規定性をもたないシニフィアンである。母胎でもあるバナナ穴には、たくさんのバナナ、つまりファルスが散乱している。それは、母が欲望されるだけの存在ではなく、自らも欲望していることを物語っていよう。バナナフィッシュがバナナを食べるのは、母の欲望の対象となりうるものすべてをわがものにし、自らのファルスを母にとっての唯一の欲望の対象にするためではないだろうか。それは究極のエロスであると同時に、死つまりタナトスをも意味している。だからバナナフィッシュは、穴から出られなくなり、そしてバナナ熱にかかって、死んでしまうのではないだろうか。

母胎においては、母子は一体化している。そこは、エロスとタナトスの、生と死の永遠の和解、つまりニルヴァーナの世界である。バナナフィッシュはもはや、母の腹を突き破り、不死の半神として再生することができない。その意思もないのだろう。

シーモアは、その世界を垣間見てしまったのではないだろうか。垣間見るどころか、入り込んでしまったのではないだろうか。それにより、そこから戻れなくなってしまったのではないだろうか。だからもはや、〈象徴界〉を、そしてそこにおける去勢の呪縛を解き放つしかなかったのではないだろうか。去勢とはファルスを断念する（させられる）ことである。その去勢の呪縛を解き放つには、ファルスの一撃が必要である。シーモアがファルスの象徴である拳銃で自殺をはかったのは、そのためではないだろうか。

第5章　ファルスの覚醒

友――
死を友とすること、それがニルヴァーナ原則である。
そこには、エロスとタナトスの、生と死の永遠の和解がある。

1　プロテスタンティズムと資本主義

プロテスタントのなかのカルヴァン派は、予定説をとっている。予定説においては、救済される人間は神によりあらかじめ決められており、人間は自らの意思や努力によってその決定を変更することはできない。いくら信仰心があったとしても、いくら善行を積んだとしてもである。しかも人間は、神の意思を知ることができず、自分が救済されるか否かが分からない〔東條・志村、二〇一五、三七頁〕。

しかし人間は、それが分からないまま生きていくことはできない。自分が救済されることを信じ、その確証を得ずにはいられない。そこで、その確証を得る最善の手段が「召命の上に堅く立つこと」、つまり職業労働に専念することであるとし、禁欲と勤勉によってそれを実行していくこととなる。専念できることで、自らの職業が召命、つまり天職であり、またそれにより、自分が神から救済を約束されていると確信するのである。

禁欲は営利追求を邪悪の極致としながらも、天職に励んだ結果としての富の獲得を許し、さらにその富の消費を圧殺する。富の消費は、神から与えられた自らの使命に反し、職業労働への専念を妨げもするからである。消費へ向かうことのない蓄財は、その生産的利用を、つまり投下資本としての使用を促さずにはおかない。禁欲と勤勉、それによる蓄財は、ここに資本として結実することとなる。近代資本主義の誕生である。

しかし実際、天職に励み、富を獲得できたとしても、究極的には救いの確証は得られない。そのことが脅迫観念となって、個人の内面的孤立化をよりいっそう促すこととなる。そしてそれは、被造物神化と人間的な対人関係への執着に対する激しい憎悪を生みだし、このエネルギーをおのずから事象的、非人格的な活動に向かわせずにはおかない。「自分が救われていることを確証するのだということが忘れられないキリスト者は、神の目的のために活動し、しかもその活動は非人格的なものとなるほかはない」〔Weber, 1920, 訳、一六八頁〕、とウェーバーはいう。

詳細は後述するが、現代欧米中枢世界における資本のヘゲモニー、つまり〈産業民主主義体制〉が、フィクションであるにせよ、労働力と人格の分裂を前提に成立しえているのは、このことと大いに関連があるといえるだろう。

2 タナトスと資本主義

カルヴァン派とは異なり、宗教改革の創始者であるルターは、資本主義を敵視している。資本主義精神と悪魔とを同一視してさえいる。それ故、悪魔の忙しさ、落ち着きのなさ、技術の魔術師ぶりを強調している。ルターにとっては、悪魔は、悪知恵、悪巧み、悪賢さの親玉であり、強盗であり、泥棒である。金利業も同じく、悪知恵、悪巧みで、強奪である〔Brown, 1959, 訳、二二七頁〕。

ところでルターは、悪魔との個人的な出会いのなかで、その肛門性格を体感している。二度も、悪魔が尻を向けた幻影に襲われてもいる。悪魔の攻撃に劣らず、ルターの反撃における肛門性も著しい。悪魔を攻撃するために最もよく使っている言葉は、「糞尿で汚す」である〔Brown, 1959, 訳、二二四―五頁〕。ルターは、悪魔こそがこの世の君主であるというが、N・O・ブラウン（一九一三年生誕、二〇〇二年没。アメリカの古典学者）の心理学的分析によれば、それは、文明が本質的に肛門加虐性の構造をもっており、また、本質的に肛門性の昇華によって構成されているとの考えに基づいているという〔Brown, 1959, 訳、二三二頁〕。

ブラウンによれば、経済人間の理想型である慎重に計算する性格は、肛門性格の一種である〔Brown, 1959, 訳、二四一頁〕。また、貨幣は肛門性愛に、うんこをいじりたがる幼児期の衝動に由来する〔Brown, 1959, 訳、二九二頁〕。

もっともルターにとっては、うんこは肉体の死んだ生命を意味している〔Brown, 1959, 訳、二九九頁〕。また、悪魔は人格化された死を意味している〔Brown, 1959, 訳、二二二頁〕。それは、肛門性格をおびているが故の宿命かもしれない。

いずれにせよ、世界はタナトスの支配下にあるということなのだろう。資本主義も然りである。つまり資本主義精神とは、悪魔であり、うんこであり、究極的には死であるということなのだろう。

しかし、この世界は永遠にはつづかない。ルターは、イエスの復活によって、生における死の支配が終わり、神の栄光が現前するという〔Brown, 1959, 訳、二二九―三〇頁〕。

ブラウンによれば、ルターの生における死のヴィジョンは、地上の生の転換と人間の肉体の転換を前提にした終末論と関連している。その肉体はうんこと死から解放されている〔Brown, 1959, 訳、二三九頁〕。

それは果たして肉体なのか。この世界では実現しえないはずである。死んで復活を待つしかない。そこでは、悪魔と資本主義からも解放されているのだろう。

3　エロスの活用

資本主義はタナトスによってのみ成り立っているわけではない。エロスをも原動力にし、活用している。それは欲望のなかに見てとれる。

ドゥルーズ＝ガタリによれば、資本主義は、欲望が拡散する「分裂症（スキゾフレニア）」の傾向にあるという。しかし、欲望の拡散により自壊することはない。それどころか、膨張しつづける。それは、資本主義にはあらゆる欲望を取り込む「公理系（パラノイア）」が内包されているからだという〔Deleuze, Guattari, 1972〕。

欲望といってもさまざまである。タナトスに関連するものもあれば、エロスに関連するものもある。しかしいずれにせよ、公理系に取り込まれている限り、本来の欲望ではない。本来のタナトス、エロスではない。

それは、「理性」「狂気」の区別のなかにも見てとれる。M・フーコー（一九二六年生誕、一九八四年没。フランスの哲学者）によれば、その区別は、近代産業社会の要請する分割原理、つまり、経済的な有用性と無用性に基づいているという〔Foucault, 1972〕。労働者として、また消費者として、経済的に有用であるかぎりは、理性的と見なされるが、そこから逸脱し、経済的に無用となれば、狂気と見なされるのである。

労働者にあっては誰もが、周辺にいるにもかかわらず、そしてさらに周辺に追いやられ、さらに搾取されようとも、中心に従属せずにはいられない。それどころか、できるだけ中心に近づこうと、少なくとも、これ以上、周辺に行かないようにと、躍起になって競い合っている〔東條・志村、二〇一五、九二頁〕。少なくとも表面上は、それを自ら欲望して行っている。

消費者にあっては例えば、他者と異質でありたい、他者に先行したいという欲望を、また、他者と同質でありたい、仲間外れになりたくないという欲望を掻き立てられる。それにより、少なくとも表面上は、自ら欲望して消費行動に走っていく。

資本主義は、あらゆる欲望を、それを通じて、エロス、タナトスをも、引き出し、取り込み、捻じ曲げ、活用せずにはおかない。そのなかに自ら欲望さえして没入していくことが、人間の理性となっている。資本主義に死を直観したルターは正しかったのかもしれない。

4　資本のヘゲモニー

資本主義は、あらゆる欲望を、それを通じて、エロス、タナトスをも、引き出し、取り込み、捻じ曲げ、活用する。それにより、〈象徴界〉における象徴秩序は常に崩壊の危機にさらされている。部分的に破壊され、裂け目が生じてさえいる。そこからは〈現実界〉が噴きだしてくる。公理系は、それと一体のイデオロギーとともに、象徴秩序を攻撃するだけでなく、その裂け目を覆う、いわばボロ布の役割をも果たしている。

イデオロギーは、去勢に端を発する象徴秩序とは異なり、想像の産物でしかない。人々が信じなくなれば、跡形もなく消失する。しかし、人々が信じているうちは、ヘゲモニーの形成に寄与しうる。ヘゲモニーは同意の組織化により形成されるからである。ここでは、イデオロギーは、資本主義を是とし、経済的有用性を理性に仕立てあげている。したがって、ヘゲモニーは資本のヘゲモニーということになろう。

もっとも、歴史的に見ると、資本はすぐさまヘゲモニーを形成しえたわけではない。新しい共同体、つまり近代市民社会においては、直接的な個人的所有、つまり私的所有が成立していた。それは、協働性を媒介にした第一次的な私の所有であり、その主体は家族、日本においては家であった。

近代市民社会は無数の多元的市民社会から構成されていた。そこにおいて資本は、市民社会の間《はざま》には存在していたが、なかには存在していなかった。近代市民社会は資本の「浸入」に対する防衛機構をもっていたのである〔東條・志村、二〇一五、四二頁〕。

ところが、近代から現代への移行にともない、資本は市民社会のなかに「浸入」してきた。それにより、私的所有はいわば（私有財産制におけるような含意で）「私有」となった。労働者は資本のヘゲモニーの主体となり、ついには、自己を、「非人格的」労働力とその「人格的」所有者へと分裂させた。

ともあれここに、人格的所有者が（幻想としての）非人格的労働力を媒介にして結びつく、現代の単一の市民社会が成立することとなった。それにより労働者諸個人は、労働力の所有者として（そのかぎりにおいて）ブルジョア＝市民となった。労働者団結は、この関係への同意を組織化する「場」であり、したがって、ヘゲモニーの主体として現代市民社会に不可欠なものとなった〔東條・志村、二〇一五、四六―八頁〕。

そのありうる一形態であると同時に典型であるのが〈産業民主主義体制〉である。〈産業民主主義体制〉は、相互干渉部分と非干渉部分を厳格に区別する団体交渉制度を、また団体交渉制度は、その関係に入ることへの同意の任意性としてのボランタリズムを基底においている。そこでは、その労働力取引の、いわば「あとくされのなさ」が特質となっている。

〈産業民主主義体制〉の基本的モチーフをまとめると、以下のようになる〔東條、一九九二、一〇七頁〕。

①相互の人格性を承認する、普遍主義的規範（または理念）への同意
②ボランタリーで対等な団体交渉
③交渉における人格性の排除

〈産業民主主義体制〉をフロイトの理論にそくして考えると、実際は無所有の無産者（プロレタリア）であるにもかかわらず、労働力の所有者であるとのフィクションを受けいれている労働者諸個人は、超自我に全面的に屈服しているといえよう。そこでは、自我は超自我の与える代償行動を脅迫的に反復している。それにより、「際限のない蓄積」としての資本は、「際限のない労働」のための労働力を包摂している。労働者諸個人は自ら欲望さえして、身を粉にして労働力を投じている。

こうした超自我への全面屈服とそれによる代償行動の脅迫的反復には、プロテスタンティズム〔カル

ヴァン派〉のもとで自らの救いの確証が得られないことからくる脅迫観念も、大いに作用していると考えられる。

また、先にあげた〈産業民主主義体制〉のそれぞれの特徴は、西欧の社会関係の原基である封建制と直接の連続性はないにせよ、その理念的特質である本源的契約への誠実の態度を、よりデフォルメすらさせて継承している。

一方、日本においても、禁欲的プロテスタンティズムとは異なるが、禁欲と勤勉を尊ぶ思想（宗教）が存在し、それが近代資本主義の誕生、発展に少なからず作用した（東條・志村、二〇一五、三八―九頁）。そして現代に移行してからは、〈産業民主主義体制〉と似て非なる〈工場委員会体制〉が資本のヘゲモニーとなっていた。それは、戦中戦後の混乱期を経て、ほとんど無修正に〈従業員民主主義体制〉として引き継がれ、長きにわたって資本のヘゲモニーでありつづけていた。

〈従業員民主主義体制〉のモチーフをまとめると、以下のようになる（東條、一九九二、一一〇頁）。

①人格を承認する実在の第三の権威としての、生産の主体＝「会社」の樹立
②生産の主体との関係で水平に序列づけられた労使と、その間の労使協議
③生産の場における人格的関係による、規範的な非人格的関係の実質的代償

〈従業員民主主義体制〉のこれらの特徴は、日本の社会関係の原基である家産制と直接の連続性はないにせよ、その理念的特質である本源的扶養への恭順の態度を、よりデフォルメすらさせて継承している。

家産制においては、本源的扶養が社会編成の基軸になる。人々に求められるのは、この本源的扶養へ

の恭順の態度である。規範は外に立てられて、権威となる。したがって家産制は、人間関係の「元型」により近いということができる。それはつまり、フロイトのいう自我および超自我が未成熟であり、その帰結として、退行に陥る可能性が高いということをも意味している。人間は退行すると、幼児体験をくり返さねばならないが、それは両親の実在の権威を同一化することからはじまる。家権威への信仰は、こうした経路を通じてさらに強化される。

〈従業員民主主義体制〉はこの退行性をさらにさかのぼる形で、その理念を継承していると考えられる。労働者は、普遍主義的な規範に耐えきれず、人格を承認する主体として、「会社」を認知し、その実在の権威を同一化している。

「会社」のもとで水平に序列づけられた労使関係は、代償関係の進行をさらに助長している。水平性のもとでは、わずかな序列に対して敏感になりやすいということもある。それにより、差別が生じやすくなるということもある。水平性は攻撃性を宿しているのである。〈従業員民主主義体制〉においては、この性質を巧みに利用し、労働者間に競争原理を導入している。労働者は他者との競争を煽られ、また、自らもそのなかで勝ち抜くことに、「生き甲斐」を見出してさえいる〔東條・志村、二〇一五、五七頁〕。

そこでは、売り渡した労働力に人格が「密輸入」されてしまっている。確かに、労働力と人格の分離などフィクションにすぎず、〈産業民主主義体制〉においても、ある程度の「密輸入」は行われている。しかし〈従業員民主主義体制〉においては、その程度がはなはだしい。しかもある程度、公然と行われている。「会社人間」という言葉が流布しているのを見ても、このことは明らかであろう。

5　腐朽化の果てに

A・G・フランク（一九二九年生誕、二〇〇五年没。ドイツ出身の経済学者）は、ラテンアメリカ諸国は先進資本主義諸国の周辺（衛星）として組み込まれ、搾取を受けつづけてきたため、ひたすら「ルンペン的発展」を遂げてきた、つまり「低開発」を再生産してきたのだと指摘している。そして、周辺にあって、中心（中枢）たる先進諸国の「用具」としてルンペン的発展を指導し、その分け前にあずかっている階級を「ルンペン・ブルジョアジー」と呼んでいる。

周辺はラテンアメリカ諸国だけではない。中心たる先進諸国は常に、世界中で周辺をつくりだし、そこから吸い上げずにはおかない。それにより現在、世界はひとつの市場と化しつつある。そこは、競争原理が支配する、弱肉強食の世界である。弱者は強者の餌食となる。それがグローバリゼーションの実態である。

A・ネグリ（一九三三年生誕。イタリアの哲学者、政治活動家）＝M・ハート（一九六〇年生誕。アメリカの比較文学者）は、グローバリゼーションによりもたらされている主権形態のことを〈帝国〉と呼んでいる。その中核にあるのは資本である。資本の自己増殖はついに〈帝国〉をつくりだしてしまったのである。

かつて資本主義には、禁欲主義的な職業倫理が存在していた。現在、必ずしもそれがまったく失われているわけではないが、市場を支配しているのは、資本により捻じ曲げられた欲望である〔東條・志村、二〇一五、六〇―一頁〕。

労働者もいわばルンペン化している。以前は、フィクションと知りつつも、自己を非人格的労働力とその人格的所有者へと分裂させるかぎりにおいて、ブルジョア＝市民たりえていた。それが現在、市民としての自立性を失い、受扶的存在と化している。そうなればもはや、市民ではなく、ルンペン・ブルジョアジーである〔東條、二〇〇五〕。

こうして〈産業民主主義体制〉は腐朽化しつづけ、二〇〇一年のアメリカ同時多発テロ事件を象徴として、ついに崩壊したと考えられる。東西冷戦終結後、急速に拡大していたグローバリゼーションは、この事件を契機にさらなる膨張を見せている〔東條・志村、二〇一五、五九頁〕。

また、〈従業員民主主義体制〉も腐朽化しつづけ、二〇〇三年の職業安定法および労働者派遣法の改正を象徴として崩壊したと考えられる。一九九九年に労働者派遣の対象業務が原則自由化されたのにつづき、この改正により派遣期間までもが大幅に規制緩和されたことで、以後、非正規雇用が激増しつづけている。もはや同一化する実在の権威も見いだせず、そのもとでの水平性も失われている〔東條・志村、二〇一五、五八―九頁〕。

〈産業民主主義体制〉、〈従業員民主主義体制〉は崩壊したが、資本は増長しつづけている。しかし、〈帝国〉が新しい資本のヘゲモニーとして支配的になるまでにはまだ至っていないと考えられる。現在は、支配的なヘゲモニーが不在の混迷期にあるといえるだろう。

資本は増長しつづけ、象徴秩序への攻撃の度を強めている。いたるところに裂け目が生じ、そこから〈現実界〉が噴きだしている。にもかかわらず、その裂け目を覆うべき確固としたヘゲモニーはもはや存在しない。

人間は象徴秩序なしに、〈現実界〉のなかのみで生きることはできない。剥き出しのエロスとタナトスの世界に住まうことはできない。そこは、自らが主体であることが維持できず、欲望する機械と器官なき身体に還元されてしまう世界である。

もはや人間は、サリンジャーの連作物語に登場するシーモアのように、バナナ穴のなかでバナナを貪り食う、バナナフィッシュとなるしかないのか。そして遂には、死を選ぶしかないのか。

6　死の恐怖

〈現実界〉はエロスとタナトスの世界である。享楽を与えながら、帰結として死を賜う世界である。そこで何を恐怖するかというと、究極的には死である。自己は生きている間は同一性をもって継続するが、死によって確実に断絶する。その恐怖である〔東條・志村、二〇一一、一六八頁〕。

去勢を経ることで、エスは自らの心的活動によって、そのような自己を自我として表現している。それがすべてと考えられる。自我自身は何もしない。エスの作用の効果としてある（ように見える）だけである。もはや〈現実界〉への道も閉じられている。

唯識思想によれば、自我の観念は、煩悩の汚染の根拠であるマナ識が発する表象にすぎず、実在しない。しかしそれでもなお、自我が存在しているという確信を滅却しつくすことは、（少なくとも解脱していない）人間には不可能である。

『歎異抄』を引いてもよい。親鸞は唯円から、浄土への往生が決定しているのに、なぜ死のうとしないのかと問われる。親鸞の回答は、それは煩悩のせいだというものであった。死を恐れる自我とは、そうした煩悩のはたらきである。

仏説によれば、我執はあらゆる苦の源泉である。にもかかわらず、われわれは資本主義のもとにあって、自我を専制君主に仕立てあげてしまっている。それにより、いわば「神経症」にさえ陥っている。そうでなければ、苦でしかない労働を自ら欲望して行えるはずがない。他者との関係にとらわれて消費行動に走るはずがない。

仏説における無我は、我を否定しているのではない。空であること、無自性であること、実体がないこと、つまり、ある心的活動であることを示しているだけである。自我が、そして自己も空であること、ある心的活動がそこにあるだけで、なんら実体性をもつものでないことを照見することが、ある意味、われわれを類的神経症から救うことになるだろう〔東條・志村、二〇一一、一七〇頁〕。

自我は、そして自己も、シニフィアンである。実体としてではなく、他のシニフィアンとの関係において保たれているにすぎない。その象徴的意味は、無意識における〈大文字の〉他者との語らいのなかで、ひとつの言説が括られることによって、書き込まれている。つまり、自己は他者がもたらしてくれる贈りものなのである。

7　惜しみなき贈与のために

自己は他者がもたらしてくれる贈りものであり、そもそも開かれた存在である。それは人間の経済活動のなかにもあらわれている。

資本主義においては、市場経済が社会のあらゆる領域に「浸入」している。競争原理のもと、弱者を虐げてまで、営利の追求がなされている。グローバリゼーションがそれをよりいっそう過酷なものにしている。人間関係はますます希薄になり、相互扶助もままならなくなっている。

しかし、市場経済が経済のすべてではない。K・ポランニー（一八八六年生誕、一九六四年没。オーストリア出身でイギリスへ亡命した経済学者）によれば、人間の経済は、市場（交換）、再分配、そして互酬から成り立っているという〔Polanyi, 1977〕。

互酬は、贈与（と返礼）を通じた相互扶助による経済活動である。互酬においては、一方から他方へいわゆる贈りものを提供する。その返礼として、他方から一方へ、一定の時を経た後、別の贈りものを提供するのが通例である。贈りものは等価性に基づいていない。義務、名誉、誇り、ひいては快楽（よろこび）にのっとって行われる〔東條・志村、二〇一五、一二頁〕。

市場、再分配も、本来は互酬である。互酬を等価性に基づいて行うと、市場となる。互酬に媒介者が入ると、再分配となる。互酬は経済の根幹をなしているのである。それは、資本主義においてもである。

いつの世も、人は他者と心を通わせるために何かを贈与し合っている。広くとらえれば、贈与にはさまざまな形がある。物でなく、心のこともあるだろう。というより、何であれ、究極的には心なのである。自分のあり方、語ること、なすことなども、他者に何らかの影響を与えているのであれば、それは贈与なのである〔東條・志村、二〇一一、四八三―四頁〕。

ルターによれば、資本主義精神とは、悪魔であり、うんこであり、究極的には死である。しかし、悪魔は、そして魔女も、基本的に、父性原理の一神教であるキリスト教によって仕立てられた存在であり、元来は、異教の神、地母神であった。そのため、悪魔、魔女に仕立てられてからも、以前のようにではないにしても、豊饒性、多産性など、母性的要素を失っていない。例えば、悪魔が巨大なペニスをもっているというのも、魔女が悪魔に仕え、交わるというのも、そのあらわれであろう。

うんこを攻撃性にのみ結びつけて考えるのも間違いである。うんこは心温まる贈りものでもある。幼児が生まれてはじめて生産するものであり、自らに最もしたしい自己の分身である。幼児はそれをファルスとして、母に贈ろうとするが、拒絶されてしまう。うんこの名による去勢である。それにより、うんこの本当の意味は知りえなくなるが、贈与への意志は存続しつづける。

死を否定的にのみ考えるのも間違いである。死は自己に終止符を打つものである以上、究極の他者である。自己はその他者からの贈りものでもある。つまり、死は自己への贈りものなのである〔東條・志村、二〇一五、九〇頁〕。

資本主義は、キリスト教、父性原理と相まって、悪魔、魔女、うんこ、死がもつ両義性を歪め、否定的なものとしてのみ扱ってきた。しかし、〈産業民主主義体制〉、〈従業員民主主義体制〉が崩壊し、確固としたヘゲモニーが不在となっているなかで、われわれは象徴秩序の裂け目から〈現実界〉を覗き見ることができるようになってきている。そして、悪魔、魔女、うんこ、死の本当の意味を知ることができるようになってきている。

従来の象徴秩序を維持していくのはもはや無理だろうが、拡大しつつある〈帝国〉を支配的なヘゲモニーにまで押し上げ、それにより、象徴秩序の亀裂を覆い隠すことならできるかもしれない。しかしそれでは、ルンペン・ブルジョアジーから脱することはできない。ますます虐げられるようになるのは目に見えていよう。

かといって、象徴秩序を壊れるにまかせておくのも、あるいは、自らなきものにしてしまうのも得策ではなかろう。少なくとも現在のところ、人間は象徴秩序なしに、〈現実界〉のなかのみで生きることはできない。

ならば、〈現実界〉を参照しながら、新しい象徴秩序を構築していくしかない。それは人間のより自然な欲望充足の立場に適ってもいよう。

8 ニルヴァーナが再構築する世界

新しい象徴秩序においては、〈現実界〉と〈象徴界〉は、したがって〈想像界〉も、はるかに近傍したものになっている。われわれは、〈象徴界〉に住まいながらも、したがってそのコード（規則あるいは掟）を受けいれながらも、ある程度自由に〈現実界〉へ往来することができるようになっている。それにより、ファルスを覚醒させている。その時そこは、必ずしも拒絶と恐怖の世界ではなくなっている。われわれは、もっと母性を受けいれ、もっと母性に受けいれられ、死ともしたしくなっている。

互酬の起源は、うんこをファルスとして母に贈ろうとすることにある。したがって、もっと母性を受けいれ、もっと母性に受けいれられるようになれば、自ずと互酬もより活発に行えるようになるだろう。

死は自己への贈りものであり、友たりうる。ならば、死に語りかける（応答する）ことがあって、よいのではないか。死を友とすること、それがニルヴァーナ原則である。そこには、エロスとタナトスの、生と死の永遠の和解がある。自我の呪縛からの解放がある。ニルヴァーナが再構築する世界は、自己の死によって、すべてが消去されてしまう、そのようなものではないはずである〔東條・志村、二〇一一、一七〇―一頁〕。

惜しみなき贈与は、自らの死すら贈ることに帰結する。自らの命を擲ってまで行う贈与、自らの命そのものを捧げる贈与、返礼なき贈与である。それができる相手こそが真の友であり、そこにこそ友愛がある。

労働力と人格を分裂させてまで労働するのは、人間性に反しており、苦でしかないはずである。ルンペン・ブルジョアジーとなって、虐げられながら労働するのは、もっとつらいことである。

しかし、労働は元来、迂回された欲望充足である。近代までは、快なるもの、美なるもの（の少なくとも代償）であった。ここで美とは、快を追求することの倫理的な立場である。一定の抑圧はあるものの、それが労働において実現できていたということである。

ニルヴァーナにおいて再構築される労働は、かなりの程度で、エロスとタナトスの、生と死の和解のもとにあり、自我の呪縛からも解放されている。自然な欲望充足と区別しがたいものにさえなっている。したがって、必ずしも苦なるものではなく、快なるもの、美なるものともなっている。ある意味で、快なるもの、美なるものをも超越してさえいる。

そこでは、ファルスを覚醒させ、もっと母性を受けいれ、もっと母性に受けいれられ、死さえも友としながら、惜しみなき贈与を行っている。それはもはや、労働と呼ぶに相応しくないかもしれない。

労働者は、労働という人格的行為に立脚して、労働者以外も、それぞれの人格的行為に立脚して、互酬、さらには惜しみなき贈与を行っている。所有形態としては個人的所有を基盤にしている。それにより、誰もがリアルに市民となっている。

具体的にそれをもっとも実現しうる組織運営のひとつとして考えられるのが労働者自主生産である。労働者自主生産とは広義には、労働者と経営者との本質的区別が存在しない経営のことである。そこでは基本的に、平等主義のもと、労働者が一人一票の原則で経営の意思決定に参加する。ただしこれは、階層、部門の分化、各役職者の配置を認めないということではない。そのもとにあってもなお、労働者が一人一票の原則で、組織体制の選択、役職者の選任を含む、経営の意思決定に参加することができるのなら許される。いずれにしても、意思決定に際しては、労働者が皆で自由に熱い討議と熟慮された選択を行っていることが、そしてそれを通じて、相互扶助を促進していることが肝心である〔志村、二〇一八、一四頁〕。

こうした組織運営は例えば、労働組合、NPO、NGO、コミュニティ、さらには〔一般の〕企業といった組織形態であっても、ある程度は取り入れ可能であり、またそうすることで、それぞれ市民社会を形成することができる。

そこでは、個々の労働者自主生産事業体、労働組合、NPO、NGO、コミュニティ、企業等が、それぞれの市民社会を形成している。各人は複数の市民社会に所属し、それぞれの役を演じている。市民社会のなかでは、それぞれの成員が、一定の職業、地域、関心、価値観、あるいは目的などのもと、相互に認知できる固有のシンボルを分有し、情報交換、問題解決といった相互扶助を行っている。それぞれの市民社会の間においても、相互扶助を行っている〔志村、二〇一八、二七〇頁〕。

それが、現代市民社会に替わりうる、新しい市民社会である。新しい象徴秩序のもとで、ニルヴァーナが再構築する世界である。

もちろん、黙っているだけでは、新しい市民社会を形成することはできない。ニルヴァーナが再構築する世界は到来しない。だからまずは、声をあげよう。公共空間で自由に討議しよう。皆で討議を楽しもう。そしてそれを、集団の形成・維持といった共同の活動へと発展させていこう。システムの呪縛から解き放たれて。ヘゲモニーを取り払って。従来の象徴秩序にとらわれることなく。

われわれは、新しい象徴秩序を構築し、受けいれていかなければならない。〈現実界〉への往来を恐れることなく。剥き出しのエロスとタナトスから目を背けることなく。ファルスの覚醒を躊躇することなく。ニルヴァーナが再構築する新しい市民社会は、それを突き抜けたところにあるのだから。

エピローグ

汽車が夜空へと飛び去ってゆく。

宮沢賢治（一八九六年生誕、一九三三年没。日本の作家）『銀河鉄道の夜』では、貧しく孤独な少年ジョバンニが、親友カンパネルラと汽車にのり、銀河を旅する。

〔どうして僕《ぼく》はこんなにかなしいのだろう。僕はもっとこころもちをきれいに大きくもたなければいけない。あすこの岸のずうっと向うにまるでけむりのような小さな青い火が見える。あれはほんとうにしずかでつめたい。僕はあれをよく見てこころもちをしずめるんだ。〕〔宮沢、一九八九、二〇四頁〕

カンパネルラが女の子と話していただけなのに、ジョバンニはなぜだかとてもかなしくなってしまう。迫りくるカンパネルラとの別れを、どこかで感じていたからかもしれない。

そして別れは、突然やってくる。

「ああ、あすこの野原はなんてきれいだろう。みんな集ってるねえ。あすこがほんとうの天上なん

だ。あっあすこにいるのぼくのお母さんだよ。」〔宮沢、一九八九、二一六頁〕

カンパネルラが窓の遠くに見える野原を指してこう叫ぶが、ジョバンニにはぼんやり白くけむっているばかりである。

「カンパネルラ、僕たち一緒に行こうねえ。」〔宮沢、一九八九、二一七頁〕

ジョバンニがこういいながらふりかえると、すでにそこには、カンパネルラの姿はなかった。

ジョバンニとカンパネルラが旅した銀河とは、〈現実界〉を意味しているのではないか。汽車はファルスを意味しているのではないか。カンパネルラもファルスとなっていたのではないか。

カンパネルラが指した野原とは、母胎を意味しているのではないか。カンパネルラはファルスとなって、母のもとへと帰っていったのではないか。

だとしたら、そこはすでに、エロスとタナトスが相対立する世界ではないだろう。エロスとタナトスの、生と死の永遠の和解、つまりニルヴァーナの世界にちがいない。

カンパネルラは、舟から落ちた子を助けようと川へ飛び込み、帰らぬ人となった。それはまさに、自らの命を擲ってまで行う贈与、自らの命そのものを捧げる贈与、つまり、惜しみなき贈与である。

それができる相手こそが真の友であり、そこにこそ友愛がある。友愛は死においてはじめて完結する。カンパネルラは死をも友とすることで、ニルヴァーナに達していたのではないか。

銀河鉄道はおそらく、カンパネルラへの贈りものなのだろう。汽車は夜ごと、惜しみなき贈与を行いえた者、死をも友にしえた者をのせて、銀河をめぐり、ニルヴァーナの世界へと向かうのだろう。

ジョバンニが汽車に同乗できたのは、死をも友にしえたカンパネルラに心を寄せていたからかもしれない。カンパネルラをかけがえのない友と感じていたからかもしれない。しかし、カンパネルラとの別れは否応なくやってくる。

ジョバンニのかなしみは、カンパネルラと別れざるをえないことによるかなしみなのだろう。それはまた、いまだファルスとなれない、惜しみなき贈与を行うことができない、死を友とすることができないかなしみなのかもしれない。

ファルスを覚醒させ、もっと母性を受けいれ、もっと母性に受けいれられ、死ともしたしくなることができれば。そして、惜しみなき贈与を行うことができれば。

象徴秩序の亀裂が覆い隠せなくなってきている今なら、できないはずはない。われわれ次第である。

「僕はもうあのさそりのようにほんとうにみんなの幸《さいわい》のためならば僕のからだなんか百ぺん灼《や》いてもかまわない。」〔宮沢、一九八九、二一六頁〕

ジョバンニのこの言葉に偽りはないだろう。しかし、ジョバンニにも、そしてカンパネルラにも、本当の幸が何なのかはわからない。それは惜しみなき贈与をしえた後に、無意識のなかでかすかに感じられるものなのかもしれない。

あとがき

本書は前書『互酬――惜しみなき贈与』に続く、シリーズ『あしたのために』の第三冊目である。というわけで、本書も我々の共著である『ヘゲモニー・脱ヘゲモニー・友愛――市民社会の現代思想』を根っことするものである。本書に興味をもたれた方は、ぜひ原著にもあたってほしい。

私を歴史学の第一歩から導いて下さった、髙村直助先生、原朗先生、石井寛治先生、労働問題研究その何たるかから教えて下さった、戸塚秀夫先生、山本潔先生、兵藤釗先生、中西洋先生にお礼申しあげたい。すでに鬼籍に入られた方もいらっしゃるが、先生方の偉大さに比し、自分の小ささを思い知る毎日である。

その助力なしには何もできなかったであろう、明治大学経営学部の教員、職員、学生の皆さんに感謝申しあげたい。いつも非力な我々を後押しし、出版にまでこぎつけてくれた神田デンケンの友人たちに感謝申しあげたい。きびしい出版事情のなか、本書の出版に助力いただいた明石書店の関係者の皆さんにも感謝申しあげたい。

東條由紀彦

貝殻に耳を当てると、波の音が聴こえてくる。幼い頃、父、母、それとも姉だったろうか、一緒に海から持ち帰った貝殻を指し、そう教えてくれたことがある。半信半疑でそっと耳に近づけてみると、かすかに波の音が聴こえてきた。螺旋状に巻いた貝殻の奥はきっと、遠い海へ通じている。そんな気がしてならなかった。

海は生命の源である。その彼方には不老不死の仙人が住まうという伝説の島、蓬山があるのだろうか。そこはエロスとタナトスの、生と死の永遠の和解、ニルヴァーナの世界なのだろうか。

蓬山はたんなる〈想像界〉の産物ではない。〈象徴界〉では夢物語にすぎないが、〈現実界〉においては確かに存在している。それは遥か彼方にではなく、われわれの無意識の奥にしまい込まれている。だとしたら、今こそ解き放つ時ではないのか。その起爆剤ともなりうるのが、ほかならぬうんこである。

本書ではうんことの関連で、神話、習俗、さらには宗教思想、哲学などを取りあげ、いささかエキセントリックな解釈も試みてきた。それは導火線ともなりうるだろう。火を付けるのはわれわれ自身である。

本書はシリーズ『あしたのために』の第三作目である。前作『互酬——惜しみなき贈与』から五年以上経ってしまった。その間、個人的にもさまざまなことがあった。私を支えつづけてくださった東條由紀彦先生と鳥井一平氏に心よりお礼申し上げたい。

明石書店の神野斉氏にも心から感謝申し上げたい。うんこに拒絶反応を示すどころか、大いに評価し、出版へと導いてくださった。

コロナ禍にあって、なかなか海へも遊びにゆけない時世である。そんな時だからこそまた、あの貝殻に耳を当て、あの懐かしい波の音を聴きたくなる。螺旋状に巻いた貝殻の奥はきっと、あしたへ通じている。

志村光太郎

参考文献

Althusser, Louis〔1993〕*Écrits sur la psychanalyse : Freud et Lacan.*（石田靖夫他訳〔二〇〇一〕『フロイトとラカン——精神分析論集』人文書院）

Bachofen, Johann Jakob〔1861〕*Das mutterrecht : eine Untersuchung über die Gynaikokratie der alten Welt nach ihrer religiösen und rechtlichen Natur.*（吉原達也訳〔二〇〇二〕『母権制序説』筑摩書房）

Bonnard, Marc, Schouman, Michel〔2000〕*Histoires du pénis.*（藤田真利子訳〔二〇〇一〕『ペニスの文化史』作品社）

Bourke, John G.（Kaplan, Louis P. ed.）〔1994〕*The Portable Scatalog.*（岩田真紀訳〔一九九五〕『スカトロジー大全』青弓社）

Brown, Norman O.〔1959〕*Life Against Death.*（秋山さと子訳〔一九七〇〕『エロスとタナトス』竹内書店）

Deleuze, Gilles〔1968〕*Différence et répétition.*（財津理訳〔一九九二〕『差異と反復』河出書房新社）

Deleuze, Gilles, Guattari, Félix〔1972〕*L'anti Œdipe : Capitalisme et schizophrénie.*（市倉宏祐訳〔一九八六〕『アンチ・オイディプス』河出書房新社）

Deleuze, Gilles, Guattari, Félix〔1980〕*Mille plateaux : Capitalisme et schizophrénie.*（宇野邦一他訳〔一九九四〕『千のプラトー』河出書房新社）

Derrida, Jacques〔1994〕*Politiques de l'amitié.*（鵜飼哲他訳〔二〇〇三〕『友愛のポリティックス１・２』みすず書房）

Douglas, Mary〔1966〕*Purity and Danger : Analysis of Concepts of Pollution and Taboo.*（塚本利明訳〔二〇〇九〕『汚穢と禁忌』

筑摩書房）

Feixas, Jean〔1996〕*Pipi Caca Popo : Histoire anecdotique de la scatologie.*（高遠弘美訳〔一九九八〕『うんち大全』作品社）

Frank, Andre G.〔1972〕*Lumpen-bourgeoisie and Lumpen-development : Dependency, Class, and Politics in Latin America.*（西川潤訳〔一九七八〕『世界資本主義とラテンアメリカ――ルンペン・ブルジョワジーとルンペン的発展』岩波書店）

Foucault, Michel〔1972〕*Histoire de la folie à l'âge classique.*（田村俶訳〔一九七五〕『狂気の歴史――古典主義時代における』新潮社）

Friedman, David M.〔2001〕*A Mind of Its Own : A Cultural History of the Penis.*（井上廣美訳〔二〇〇四〕『ペニスの歴史――男の神話の物語』原書房）

Freud, Sigmund〔1908〕"Charakter und Analerotik".（懸田克躬他訳〔一九六九〕「性格と肛門愛」『フロイト著作集 第5巻 性欲論・症例研究』人文書院）

Freud, Sigmund〔1912-3〕"Totem und Tabu : einige Übereinstimmungen im Seelenleben der Wilden und der Neurotiker".（西田越郎訳〔一九六九〕「トーテムとタブー」『フロイト著作集 第3巻 文化・芸術論』人文書院）

Freud, Sigmund〔1917〕"Über Triebumsetzungen, insbesondere der Analerotik".（懸田克躬他訳〔一九六九〕「欲動転換、とくに肛門愛の欲動転換について」『フロイト著作集 第5巻 性欲論・症例研究』人文書院）

Girard, René〔1972〕*La violence et le sacré.*（古田幸男訳〔一九八二〕『暴力と聖なるもの』法政大学出版局）

Hardt, Michael, Negri, Antonio〔2000〕*Empire.*（水嶋一憲他訳〔二〇〇三〕『〈帝国〉――グローバル化の世界秩序とマルチチュードの可能性』以文社）

林望〔一九九九〕『古今黄金譚――古典の中の糞尿物語』平凡社

東ゆみこ〔二〇〇三〕『クソマルの神話学』青土社

Jung, Carl Gustav〔1952〕*Symbole der Wandlung : Analyse des Vorspiels zu einer Schizophrenie.*（野村美紀子訳〔一九八五〕『変容の

象徴――精神分裂病の前駆症状 上・下』筑摩書房）
柄谷行人〔二〇一六〕「思想の散策⑧ 山人と山姥」『図書』（岩波書店）第八〇六号
小松和彦〔一九八五〕『異人論――民俗社会の心性』青土社
Lacan, Jacques〔1957-8〕*Les formations de l'inconscient.*（佐々木孝次他訳〔二〇〇五―六〕『無意識の形成物 上・下』岩波書店）
Lacan, Jacques〔1966〕*Écrits.*（佐々木孝次他訳〔一九七二―八一〕『エクリⅠ・Ⅱ・Ⅲ』弘文堂）
Marcuse, Herbert〔1955〕*Eros and civilization.*（南博訳〔一九五八〕『エロス的文明』紀伊国屋書店）
Marx, Karl H.〔1859〕*Kritik der Politischen Ökonomie.*（武田隆夫他訳〔一九五六〕『経済学批判』岩波書店）
松長有慶〔一九九一〕『密教』岩波書店
Mauss, Marcel〔1925〕*Essai sur le don : Forme et raison de l'échange dans les sociétés archaïque.*（吉田禎吾他訳〔二〇〇九〕『贈与論』筑摩書房）
南方熊楠〔一九七一〕『南方熊楠全集 第2巻 南方閑話・南方随筆・続南方随筆』平凡社
宮沢賢治〔一九八九〕『新編 銀河鉄道の夜』新潮社
中村元〔二〇〇二〕『龍樹』講談社
波平恵美子〔二〇〇九〕『ケガレ』講談社
夏目漱石〔一九八四〕『こころ』新潮社
岡野守也〔一九九八〕『唯識のすすめ――仏教の深層心理学入門』日本放送出版協会
小野寺忠昭・小畑精武・平山昇編〔二〇一九〕『時代へのカウンターと陽気な夢――労働運動の昨日、今日、明日』社会評論社
Polanyi, Karl〔1977〕*The livelihood of man.*（玉野井芳郎他訳〔一九八〇〕『人間の経済Ⅰ・Ⅱ』岩波書店）

三枝充悳〔二〇〇四〕『世親』講談社
Salinger, Jerome David〔1953〕*Nine Stories.*（野崎孝訳〔一九八〇〕『ナイン・ストーリーズ』新潮社）
Salinger, Jerome David〔1963〕*Raise High the Roof Beam, Carpenters, and Seymour : An Introduction Stories.*（野崎孝他訳〔一九七四〕『大工よ、屋根の梁を高く上げよ シーモア――序章』新潮社）
志村光太郎〔二〇〇七〕「労働と人格――キャリア論の前提として」『人材育成研究』（人材育成学会）第2巻第1号
志村光太郎〔二〇一八〕『労働と生産のレシプロシティ――いまこそ働き方を変革する』世界書院
谷川健一〔一九九九〕『日本の神々』岩波書店
東條由紀彦〔一九九〇〕『製糸同盟の女工登録制度――日本近代の変容と女工の「人格」』東京大学出版会
東條由紀彦〔一九九二〕「西欧社会民主主義と日本の『社会民主主義』」『社会科学研究』（東京大学社会科学研究所紀要）第四四巻第一号
東條由紀彦〔二〇〇五〕『近代・労働・市民社会――近代日本の歴史認識Ⅰ』ミネルヴァ書房
東條由紀彦・志村光太郎〔二〇一一〕『ヘゲモニー・脱ヘゲモニー・友愛――市民社会の現代思想』ミネルヴァ書房
東條由紀彦・志村光太郎〔二〇一三〕『討議――非暴力社会へのプレリュード』（シリーズあしたのために1）明石書店
東條由紀彦・志村光太郎〔二〇一五〕『互酬――惜しみなき贈与』（シリーズあしたのために2）明石書店
東條由紀彦編〔二〇一六〕『「労働力」の成立と現代市民社会――近代日本の歴史認識Ⅱ』ミネルヴァ書房
上山安敏〔一九九八〕『魔女とキリスト教――ヨーロッパ学再考』講談社
牛尾奈緒美、石川公彦、志村光太郎〔二〇一一〕『ラーニング・リーダーシップ入門――ダイバーシティで人と組織を伸ばす』日本経済新聞出版社
Weber, Max〔1920〕*Die protestantische Ethik und der Geist des Kapitalismus.*（大塚久雄訳〔一九八九〕『プロテスタンティズムの倫理と資本主義の精神』岩波書店）

Weber, Max〔1956〕*Wirtschaft und Gesellschaft, Grundriss der verstehenden Soziologie.*（世良晃志郎訳〔一九六〇－二〕『支配の社会学Ⅰ・Ⅱ』創文社）
八木雄二〔二〇〇二〕『イエスと親鸞』講談社
柳田国男〔一九七六〕『遠野物語・山の人生』岩波書店
安田喜憲〔一九九六〕『森のこころと文明』日本放送出版協会
安丸良夫〔一九九九〕『日本の近代化と民衆思想』平凡社
吉田敦彦〔一九九二〕『昔話の考古学――山姥と縄文の女神』中央公論社
吉野裕子〔一九九〇〕『祭りの原理』慶友社
吉野裕子〔一九九九〕『蛇――日本の蛇信仰』講談社
Žižek, Slavoj〔2004〕*Organs without bodies : on Deleuze and consequences.*（長原豊訳〔二〇〇四〕『身体なき器官』河出書房新社）

◉著者紹介

東條由紀彦（とうじょう・ゆきひこ）
明治大学経営学部教授。経済学博士。
1953年、宮崎県生まれ。東京大学文学部国史学科卒業。東京大学大学院経済学研究科修了。東京大学社会科学研究所助手、小樽商科大学商学部助教授を経て、現職。
主要著書：『「労働力」の成立と現代市民社会——近代日本の歴史認識Ⅱ』（編著、ミネルヴァ書房、2016年）、『ヘゲモニー・脱ヘゲモニー・友愛——市民社会の現代思想』（共著、ミネルヴァ書房、2011年）、『近代・労働・市民社会——近代日本の歴史認識Ⅰ』（ミネルヴァ書房、2005年）、『製糸同盟の女工登録制度——日本近代の変容と女工の「人格」』（東京大学出版会、1990年）

志村光太郎（しむら・こうたろう）
合同会社国際人材戦略研究所代表。博士（経営学）。
1967年、神奈川県生まれ。明治大学政治経済学部経済学科卒業。明治大学大学院経営学研究科博士後期課程単位取得退学。明治大学兼任講師、青山学院大学客員研究員、株式会社ＮＴＴデータユニバーシティチーフコンサルタント、株式会社ヒューマネージディレクター等を経て、現職。
主要著書：『労働と生産のレシプロシティ——いまこそ働き方を変革する』（世界書院、2018年）、『ヘゲモニー・脱ヘゲモニー・友愛——市民社会の現代思想』（共著、ミネルヴァ書房、2011年）、『ラーニング・リーダーシップ入門——ダイバーシティで人と組織を伸ばす』（共著、日本経済新聞出版社、2011年）

シリーズ あしたのために 3
無意識——うんこの名の隠喩

2020年11月10日　初版第1刷発行

著　者　東條由紀彦
　　　　志村光太郎
発行者　大江道雅
発行所　株式会社 明石書店
〒101-0021　東京都千代田区外神田6-9-5
電　話　03(5818)1171
FAX　03(5818)1174
振　替　00100-7-24505
http://www.akashi.co.jp
装　丁　明石書店デザイン室
印刷・製本　モリモト印刷株式会社

（定価はカバーに表示してあります）
ISBN978-4-7503-5109-4

互酬
惜しみなき贈与
シリーズ あしたのために 2

東條由紀彦、志村光太郎［著］

◎A5判／並製／112頁　◎1,000円

経済と関連して人間の共同体の変遷をたどり、どう市民社会へ移行したのか、市民社会はどう変化してきたか、将来はどんな姿になるのかを論じ、目指すべきは、市場経済がすべてでない社会、互酬（惜しみなき贈与）と個人的所有を基盤にする社会であると論じる。

《内容構成》

〈価格は本体価格です〉